ESTUDIOS
SOBRE
EL
AMOR

Obras de José Ortega y Gasset
Colección editada por Paulino Garagorri
(nuevas ediciones revisadas y ampliadas con textos inéditos)

Publicadas:

1. *Sobre la razón histórica* (obra inédita).
2. *La rebelión de las masas.*
3. *La idea de principio en Leibniz y la evolución de la teoría deductiva.*
4. *Una interpretación de la historia universal. (En torno a Toynbee).*
5. *¿Qué es filosofía?*
6. *Papeles sobre Velázquez y Goya.*
7. *Estudios sobre el amor.*
8. *El hombre y la gente.*
9. *Ensayos sobre la «generación del 98» y otros escritores españoles contemporáneos.*
10. *La deshumanización del arte.*
11. *Meditación del pueblo joven y otros ensayos sobre los pueblos americanos.*
12. *Origen y epílogo de la filosofía.*
13. *España invertebrada.*
14. *Unas lecciones de metafísica.*
15. *Historia como sistema.*
16. *El tema de nuestro tiempo.*
17. *Meditaciones del Quijote.*
18. *En torno a Galileo.*
19. *Ideas sobre el teatro y la novela.*
20. *Investigaciones psicológicas* (obra inédita).
21. *Meditación de la técnica y otros ensayos sobre ciencia y filosofía.*
22. *Misión de la Universidad.*
23. *Kant - Hegel - Scheler.*
24. *Goethe - Dilthey.*
25. *¿Qué es conocimiento?* (obra inédita).
26. *Europa y la Idea de nación.*
27. *Las Atlántidas y Del Imperio Romano.*
28. *Espíritu de la letra.*
29. *Ideas y creencias.*
30. *Mirabeau o el político, Contreras o el aventurero, Vives o el intelectual.*
31. *Sobre la caza, los toros y el toreo.*
32. *Notas de andar y ver. (Viajes, gentes y países.)*

ORTEGA Y GASSET

ESTUDIOS SOBRE EL AMOR

REVISTA DE OCCIDENTE EN
ALIANZA EDITORIAL

Primera edición Espasa-Calpe Argentina: 1939
Primera edición en «Obras de José Ortega y Gasset»: 1980
Segunda edición en «Obras de José Ortega y Gasset»: 1981 (revisada)
Tercera edición en «Obras de José Ortega y Gasset»: 1984 (revisada)
Cuarta edición en «Obras de José Ortega y Gasset»: 1987 (revisada)
Quinta edición en «Obras de José Ortega y Gasset»: 1991
Sexta edición en «Obras de José Ortega y Gasset»: 1993
Séptima edición en «Obras de José Ortega y Gasset»: 1995
Octava edición en «Obras de José Ortega y Gasset»: 1996
Novena edición en «Obras de José Ortega y Gasset»: 1998
Décima edición en «Obras de José Ortega y Gasset»: 1999

© Herederos de José Ortega y Gasset
© Revista de Occidente, S. A.
© Alianza Editorial, S. A., Madrid, 1980, 1981, 1984, 1987, 1991, 1993,
  1995, 1996, 1998, 1999
  Calle Juan Ignacio Luca de Tena, 15; 28027 Madrid; teléf. 91 393 88 88
  ISBN: 84-206-4107-3
  Depósito legal: M. 48.179-1999
  Impreso en Closas-Orcoyen, S. L. Polígono Igarsa
  Paracuellos de Jarama (Madrid)
  Printed in Spain

INDICE

NOTA PRELIMINAR

El libro Estudios sobre el amor *se publicó inicialmente en 1939 y en Buenos Aires. A los ensayos que llevan ese título (de 1926 y 1927) agregó entonces Ortega otros de tema afín, pero en las sucesivas y numerosas reediciones del libro esa segunda parte experimentó cambios por incluirse o extraerse de la misma algunos de ellos. En esta nueva edición, además de los estudios que originaron el libro —los titulados «Facciones del amor», «Amor en Stendhal» y «La elección en amor»—, he incluido otros artículos y ensayos (de fechas precedente y posterior) en los que converge la doble circunstancia de la afinidad temática y de no formar parte de los otros libros de Ortega que aparecerán en esta misma colección. Su contenido es el más completo y extenso de los publicados bajo este título, y, por primera vez, alberga los ensayos denominados «El manifiesto de Marcela», «La poesía de Ana de Noailles» y «Meditación de la criolla».*

La presencia del tema en la obra del autor no es, ciertamente, azarosa. Su pensamiento central es la consideración de la vida humana entendida como realidad radical; *pero lo humano aparece condicionado por el hecho* de ser, en su raíz, dual, viril y femenino. Y la amplia cuestión tratada en estas páginas es, en rigor, cuanto se origina directamente en esa división básica. Quizá no sea ocioso advertir que se trata de uno de los caracteres más decisivos en la vida de la humanidad, pero menos frecuentados por la meditación, por tanto, más urgentes que un pensador debe afrontar. Así, en otras páginas suyas —en El Espectador, I— escribía Ortega: «Abrigo la creencia de que nuestra época va a ocuparse del amor un poco más seriamente que era uso... Desde todos los tiempos ha sido lo erótico sometido a un régimen de ocultación. El Espectador se resiste a aceptar que en el espectáculo de la vida haya departamentos prohibidos. Hablaremos, pues, a menudo de estas cosas, las únicas en que Sócrates se declaraba especialista.»

Así pues, puede afirmarse que el propósito de Ortega en todas estas páginas responde al título de otro de sus estudios sobre el tema: «Para la cultura del amor» (incluido en El Espectador, II). Pese al incomparable relieve que la aventura amorosa tiene siempre es bien poco lo que sobre el amor se sabe. No hay, todavía, una cultura del amor, aunque ningún afán suelta tanto la palabra ni solicita con tal vehemencia el consejo. Y esta escandalosa incultura es causa inequívoca de muchos desajustes y zozobras del mundo contemporáneo.

Con reiteración e insistencia, desde sus escritos juveniles hasta los de madurez, Ortega ha cumplido su proyecto de ocuparse extensamente del magno tema. Una antología que seleccione cuanto el autor ha escrito sobre el asunto en su vasta obra requiere muchas páginas[1]. Pero en esta nueva edición de los Estudios sobre el amor, en la que el texto se ha revisado y cotejado con los originales, se contienen los ensayos más conclusos y sustanciales para iniciarnos en la deseada «cultura del amor».

Paulino Garagorri.

---

[1] José Ortega y Gasset: *Sobre el amor. Antología,* Editorial Plenitud, Madrid, 1963, 2.ª edición ampliada, 560 páginas.

ESTUDIOS SOBRE EL AMOR

FACCIONES DEL AMOR

Hablemos del amor, pero comencemos por no hablar de «amores». «Los amores» son historias más o menos accidentadas que acontecen entre hombres y mujeres. En ellas intervienen factores innumerables que complican y enmarañan su proceso hasta el punto que, en la mayor parte de los casos, hay en los «amores» de todo menos eso que en rigor merece llamarse amor. Es de gran interés un análisis psicológico de los «amores» con su pintoresca casuística; pero mal podríamos entendernos si antes no averiguamos lo que es propia y puramente el amor. Además, fuera empequeñecer el tema reducir el estudio del amor al que sienten, unos por otros, hombres y mujeres. El tema es mucho más vasto, y Dante creía que el amor mueve el sol y las otras estrellas.

Sin llegar a esta ampliación astronómica del erotismo, conviene que atendamos al fenómeno del amor en toda su generalidad. No sólo ama el hombre a la mujer y la mujer al hombre, sino que amamos el arte o la ciencia, ama la madre al hijo y el hombre religioso ama a Dios. La ingente variedad y distancia entre esos objetos donde el amor se inserta nos hará cautos para no considerar como esenciales al amor atributos y condiciones que más bien proceden de los diversos objetos que pueden ser amados.

Desde hace dos siglos se habla mucho de amores y poco del amor. Mientras todas las edades, desde el buen tiempo de Grecia, han tenido una gran teoría de los sentimientos, las dos centurias últimas han carecido de ella. El mundo antiguo se orientó primero en la de Platón; luego, en la doctrina estoica. La Edad Media aprendió la de Santo Tomás y de los árabes; el siglo XVII estudió con fervor la teoría de las pasiones de Descartes y Spinoza. Porque no ha habido gran filósofo del pretérito que no se creyese obligado a elaborar la suya. Nosotros no poseemos ningún ensayo, en grande estilo, de sistematizar los sentimientos. Sólo recientemente los trabajos de Pfänder y Scheler vuelven a movilizar el asunto. Y en tanto, nuestra alma se ha hecho cada vez más compleja y nuestra percepción más sutil.

De aquí que no nos baste alojarnos en esas antiguas teorías afectivas. Así, la idea que Santo Tomás, resumiendo la tradición griega, nos da del amor es, evidentemente, errónea. Para él, amor y odio son dos formas del deseo, del apetito o lo concupiscible. El amor es el deseo de algo bueno en cuanto bueno —*concupiscibile circa bonun*—; el odio, un deseo negativo, una repulsión de lo malo en cuanto tal —*concupiscibile circa malum*. Se acusa aquí la confusión entre los apetitos o deseos y los sentimientos, que ha padecido todo el pasado de la psicología hasta el siglo XVIII; confusión que volvemos a encontrar en el Renacimiento, si bien transportada al orden estético. Así, Lorenzo *el Magnífico,* dice que *l'amore è un appetito di bellezza.*

Pero esta es una de las distinciones más importantes que necesitamos hacer para evitar que se nos escape entre los dedos lo específico, lo esencial del amor. Nada hay tan fecundo en nuestra vida íntima como el sentimiento amoroso; tanto, que viene a ser el símbolo de toda fecundidad. Del amor nacen, pues, en el sujeto muchas cosas: deseos, pensamientos, voliciones, actos; pero todo esto que del amor nace como la cosecha de una simiente, no es el amor mismo; antes bien, presupone la existencia de éste. Aquello que amamos, claro está que, en algún sentido y forma, lo deseamos también; pero, en cambio, deseamos notoriamente muchas cosas que no amamos, respecto a las cuales somos indiferentes en el plano sentimental. Desear un buen vino no es amarlo; el morfinómano desea la droga al propio tiempo que la odia por su nociva acción.

Pero hay otra razón más rigorosa y delicada para separar amor y deseo. Desear algo es, en definitiva, tendencia a la posesión de ese algo; donde posesión significa, de una u otra manera, que el objeto entre en nuestra órbita y venga como a formar parte de nosotros. Por esta razón, el deseo muere automáticamente cuando se logra; fenece al satisfacerse. El amor, en cambio, es un eterno insatisfecho. El deseo tiene un carácter pasivo, y en rigor lo que deseo al desear es que el objeto venga a mí. Soy centro de gravitación, donde espero que las cosas vengan a caer. Viceversa: en el amor todo es actividad, según veremos. Y en lugar de consistir en que el objeto venga a mí, soy yo quien va al objeto y estoy en él. En el acto amoroso, la persona sale fuera de sí: es tal vez el máximo ensayo que la Naturaleza hace para que cada cual salga de sí mismo hacia otra cosa. No ella hacia mí, sino yo gravito hacia ella.

San Agustín, uno de los hombres que más hondamente han pensado sobre el amor, tal vez el temperamento más gigantescamente erótico que ha existido, consigue a veces librarse de esta interpretación que hace del amor un deseo o apetito. Así dice en lírica expansión: *Amor meus, pondus meum; illo feror, quocumque feror.* «Mi amor es mi peso; por él voy dondequiera que voy.» Amor es gravitación hacia lo amado.

Spinoza intentó rectificar este error, y eludiendo los apetitos busca al sentimiento amoroso y de odio una base emotiva; según él, sería amor la alegría unida al conocimiento de su agente. Amar algo o alguien sería simplemente estar alegre y darse cuenta, a la par, de que la alegría nos llega de ese algo o alguien. De nuevo hallamos aquí confundido el amor con sus posibles consecuencias. ¿Quién duda que el amante puede recibir alegría de lo amado? Pero no es menos cierto que el amor es a veces triste como la muerte, tormento soberano y mortal. Es más: el verdadero amor se percibe mejor a sí mismo y, por decirlo así, se mide y calcula a sí propio en el dolor y sufrimiento de que es capaz. La mujer enamorada prefiere las angustias que el hombre amado le origina a la indolora indiferencia. En las cartas de Mariana Alcoforado, la monja portuguesa, se leen frases como éstas, dirigidas a su infiel seductor: «Os agradezco desde el fondo de mi corazón la desesperación que me causáis, y detesto la tranquilidad en que vivía antes de conoceros.» «Veo claramente cuál sería el remedio a todos mis males, y me sentiría al punto libre de ellos si os dejase de amar. Pero, ¡qué remedio!, no; prefiero sufrir a olvidaros. ¡Ay! ¿Por ventura depende esto de mí? No puedo reprocharme haber deseado un solo instante no amaros, y al cabo sois más digno de compasión que yo, y más vale sufrir todo lo que yo sufro que gozar de los lánguidos placeres que os proporcionan vuestras amadas de Francia.» La primera carta termina: «Adiós; amadme siempre y hacedme sufrir aún mayores males.» Y dos siglos más tarde, la señorita de Lespinasse: «Os amo como hay que amar: con desesperación.»

Spinoza no miró bien: amar no es alegría. El que ama a la patria, tal vez muere por ella, y el mártir sucumbe de amor. Viceversa, hay odios que gozan de sí mismos, que se embriagan jocundamente con el mal sobrevenido al odiado.

Puesto que estas ilustres definiciones no nos satisfacen, más vale que ensayemos directamente describir el acto amoroso, filiándolo, como hace el entomólogo con un insecto captado en la espesura. Espero que los lectores aman o han amado algo o alguien, y pueden ahora prender su sentimiento por las alas traslúcidas y mantenerlo fijo ante la mirada interior. Yo voy a ir enumerando los caracteres más generales, más abstractos de esa abeja estremecida que sabe de miel y punzada. Los lectores juzgarán si mis fórmulas se ajustan o no a lo que ven dentro de sí.

En el modo de comenzar se parece, ciertamente, el amor al deseo, porque su objeto —cosa o persona— lo excita. El alma se siente irritada, delicadamente herida en un punto por una estimulación que del objeto llega hasta ella. Tal estímulo tiene, pues, una dirección centrípeta: del objeto viene a nosotros. Pero el acto amoroso no comienza sino después de esa excitación; mejor, incitación. Por el poro que ha abierto la flecha incitante del objeto brota el amor y se dirige activamente a éste: camina, pues, en sentido inverso a la incitación y a todo deseo. Va del amante a lo amado —de mí al otro— en dirección centrífuga. Este carácter de hallarse psíquicamente en movimiento, en ruta *hacia* un objeto; el estar de continuo marchando íntimamente de nuestro ser al del prójimo, es esencial al amor y al odio. Ya veremos en qué se diferencian ambos. No se trata, sin embargo, de que nos movamos físicamente hacia lo amado, que procuremos la aproximación y convivencia externa. Todos estos actos exteriores nacen, ciertamente, del amor como efectos de él, pero no nos interesan para su definición, y debemos eliminarlos por completo del ensayo que ahora hacemos. Todas mis palabras han de referirse al acto amoroso en su intimidad psíquica como proceso en el alma.

No se puede ir al Dios que se ama con las piernas del cuerpo, y, no obstante, amarle es estar yendo hacia El. En el amar abandonamos la quietud y asiento dentro de nosotros, y emigramos virtualmente hacia el objeto. Y ese constante estar emigrando es estar amando.

Porque —se habrá reparado— el acto de pensar y el de voluntad son instantáneos. Tardaremos más o menos en prepararlos, pero su ejecución no dura: acontece en un abrir y cerrar de ojos; son actos puntuales. Entiendo una frase, si la entiendo, de un golpe y en un instante. En cambio, el amor se prolonga en el tiempo: no se ama en serie de instantes súbitos, de puntos que se encienden y apagan como la chispa de la magneto, sino que se está amando lo amado con continuidad. Esto determina una nueva nota del sentimiento que analizamos; el amor es una fluencia, un chorro de materia anímica, un fluido que mana con continuidad como de una fuente. Podíamos decir, buscando expresiones metafóricas que destaquen en la intuición y denominen el carácter a que me refiero ahora, podíamos decir que el amor no es un disparo, sino una emanación continuada, una irradiación psíquica que del amante va a lo amado. No es un golpe único, sino una corriente.

Pfänder ha insistido con gran sutileza en este aspecto fluido y constante del amor y del odio.

Tres facciones o rasgos hemos apuntado ya, las tres comunes a amor y odio: son centrífugas, son un ir virtual hacia el objeto y son continuas o fluidas.

Pero ahora podemos localizar la radical diferencia entre amor y odio.

Ambos poseen la misma dirección, puesto que son centrífugos, y en ellos la persona va hacia el objeto; pero dentro de esa única dirección llevan distinto sentido, opuesta intención. En el odio se va hacia el objeto, pero se va contra él; su sentido es negativo. En el amor se va también hacia el objeto, pero se va en su pro.

Otra advertencia que nos sale al paso, como característica común de estos dos sentimientos y superior a sus diferencias, es la siguiente: El pensar y el querer carecen de lo que podemos llamar temperatura psíquica. El amor y el odio, en cambio, comparados con el pensamiento que piensa un teorema de la matemática, tienen calor, son cálidos y además su fuego goza de las más matizadas gradaciones. Todo amor atraviesa etapas de diversa temperatura, y sutilmente el lenguaje usual habla de amores que se enfrían y el enamorado se queja de la tibieza o de la frialdad de la amada. Este capítulo de la temperatura sentimental nos llevaría episódicamente a entretenidos parajes de observación psicológica. En él aparecerían aspectos de la historia universal, hasta ahora, según creo, ignorados de la moral y del arte. Hablaríamos de la diversa temperatura de las grandes naciones históricas —el frío de Grecia y de China, del siglo XVIII, el ardor medieval, de la Europa romántica, etc.—; hablaríamos de la influencia en las relaciones humanas de la diversa temperatura entre las almas —dos seres que se encuentran, lo primero que perciben uno de otro es su grado de calorías sentimentales—; en fin, de la cualidad que en los estilos artísticos, especialmente literarios, merece llamarse temperatura. Pero sería imposible rozar siquiera el amplio asunto.

Que sea esa temperatura del amor y del odio se entiende mejor si lo miramos desde el objeto. ¿Qué hace el amor en torno a éste? Hállese cerca o lejos, sea la mujer o el hijo, el arte o la ciencia, la patria o Dios, el amor se afana en torno a lo amado. El deseo goza de lo deseado, recibe de él complacencia pero no ofrenda, no regala, no pone nada por sí. El amor y el odio actúan constantemente; aquél envuelve al objeto en una atmósfera favorable, y es, de cerca o de lejos, caricia, halago, corroboración, mimo en suma. El odio lo envuelve, con no menor fuego, en una atmósfera desfavorable; lo maleficia, lo agosta como un siroco tórrido, lo destruye virtualmente, lo corroe. No es necesario —repito— que esto acaezca en realidad; yo aludo ahora a la intención que en el odio va, a ese hacer irreal que constituye el sentimiento mismo. Diremos, pues, que el amor fluye en una cálida corroboración de lo amado y el odio segrega una virulencia corrosiva.

Esta opuesta intención de ambos efectos se manifiesta en otra forma: en el amor nos sentimos unidos al objeto. ¿Qué significa esta unión? No es, por sí misma, unión física, ni siquiera proximidad. Tal vez nuestro amigo —no se olvide la amistad cuando se habla genéricamente de amor— vive lejos y no sabemos de él. Sin embargo, estamos con él en una convivencia simbólica —nuestra alma parece dilatarse fabulosamente, salvar las distancias, y esté donde esté, nos sentimos en una esencial reunión con él. Es algo de lo que se expresa cuando, en una hora difícil, decimos a alguien: Cuente usted conmigo —yo estoy a su lado—; es decir, su causa es la mía, yo me adhiero a su persona y ser.

En cambio, el odio —a pesar de ir constantemente hacia lo odiado— nos separa del objeto, en el mismo sentido simbólico; nos mantiene a una radical distancia, abre un abismo. Amor es corazón junto a corazón: concordia; odio es discordia, disensión metafísica, absoluto no estar con lo odiado.

Ahora entrevemos en qué consiste esa actividad, esa como laboriosidad que, desde luego, sospechábamos en el odio y en el amor, a diferencia de las emociones pasivas, como alegría o tristeza. No en balde se dice: estar alegre o estar triste. Son, en efecto, estados, y no afanes, actuaciones. El triste, en cuanto triste, no hace nada, ni el alegre en cuanto alegre. El amor, en cambio, llega en esa dilatación virtual hasta el objeto, y se ocupa en una faena invisible, pero divina, y la más actuosa que cabe: se ocupa en afirmar su objeto. Piensen ustedes lo que es amar el arte o la patria: es como no dudar un momento del derecho que tiene a existir; es como reconocer y confirmar en cada instante que son dignos de existir. Y no a la manera de un juez que sentencia fríamente reconociendo un derecho, sino de guisa que la sentencia favorable es, a la vez, intervención, ejecución. Opuestamente, es odiar estar como matando virtualmente lo que odiamos, aniquilándolo en la intención, suprimiendo su derecho a alentar. Odiar a alguien es sentir irritación por su simple existencia. Sólo satisfaría su radical desaparición.

No creo que haya síntoma más sustancial de amor y odio que este último. Amar una cosa es estar empeñando en que exista; no admitir, en lo que depende de uno, la posibilidad de un universo donde aquel objeto esté ausente. Pero nótese que esto viene a ser lo mismo que estarle continuamente dando vida, *en lo que de nosotros depende,* intencionalmente. Amar es vivificación perenne, creación y conservación *intencional* de lo amado. Odiar es anulación y asesinato virtual —pero no un asesinato que se ejecuta una vez, sino que estar odiando es estar sin descanso asesinando, borrando de la existencia al ser que odiamos.

Si a esta altura resumimos los atributos que del amor se nos han revelado, diremos que es un acto centrífugo del alma que va hacia el objeto en flujo constante y lo envuelve en cálida corroboración, uniéndonos a él y afirmando ejecutivamente su ser (Pfänder)*.

El Sol, julio 1926.

---

* [Este artículo se incluyó en *Estudios sobre el amor* desde la primera edición española, Revista de Occidente, Madrid, 1941.—La obra de Pfänder considerada es «Zur Phämomenologie der Gesinnungen», *Jahrbuch für Philosophie und phänomenologische Forschng,* Halle, 1913.]

AMOR EN STENDHAL

I

[EL AMOR VISIONARIO]

Stendhal tenía la cabeza llena de teorías; pero no tenía las dotes de teorizador. En esto, como en algunas otras cosas, se parece a nuestro Baroja, que sobre todo asunto humano reacciona primero en forma doctrinal. Uno y otro, mirados sin la oportuna cautela, ofrecen el aspecto de filósofos descarriados en la literatura. Y, sin embargo, son todo lo contrario. Basta con advertir que ambos poseen una abundante colección de teorías. El filósofo, en cambio, no tiene más que una. Este es el síntoma que radicalmente diferencia al temperamento teórico verdadero del que sólo lo es en apariencia.

El teorizador llega a la fórmula doctrinal movido por un afán exasperado de coincidir con la realidad. A este fin usa de infinitas precauciones, una de ellas la de mantener en rigorosa unidad y cohesión la muchedumbre de sus ideas. Porque lo real es formidablemente uno. ¡Qué pavor sintió Parménides al descubrirlo! En cambio, nuestra mente y nuestra sensibilidad son discontinuas, contradictorias y multiformes. En Stendhal y Baroja, la doctrina desciende a mero idioma, a género literario que sirve de ógano a la emanación lírica. Sus teorías son canciones. Piensan «pro» o «contra» —lo que nunca hace el pensador—: aman y odian en conceptos. Por eso sus doctrinas son muchas. Pululan bactéricamente, dispares y antagónicas, cada una engendrada por la impresión del momento. A fuer de canciones dicen la verdad, no de las cosas, sino del cantor.

Con esto no pretendo insinuar censura alguna. Ni Stendhal ni Baroja ambicionan, en general, ser filiados como filósofos; y si he apuntado ese aspecto indeciso de su carácter intelectual, ha sido no más que por sentir la grande delicia de tomar a los seres según son. Parecen filósofos. *Tant pis!* Pero no lo son. *Tan mieux!*

El caso de Stendhal es, no obstante, más arduo que el de Baroja, porque hay un tema sobre el cual quiso teorizar completamente en serio. Y es, por ventura, el mismo tema que Sócrates, patrón de los filósofos, creía de su especialidad. *Ta erotiká:* las cosas del amor.

El estudio *De l'amour* es uno de los libros más leídos. Llega uno al gabinete de la marquesa o de la actriz o, simplemente, de la dama cosmopolita. Hay que esperar unos instantes. Los cuadros —¿por qué es inevitable que haya cuadros en las paredes?— absorben primero nuestra mirada. No hay remedio. Y casi siempre la misma impresión de capricho que nos suele producir la obra pictórica. El cuadro es como es; pero lo mismo podía haber sido de otra manera. Nos falta siempre esa dramática emoción de topar con algo necesario. Luego, los muebles, y entre ellos, unos libros. Un dorso. ¿Qué dice? *De l'amour.* Como en casa del médico el tratado de las enfermedades del hígado. La marquesa, la actriz, la dama cosmopolita aspiran indefectiblemente a ser especialistas en amor y han querido informarse, lo mismo que quien compra un automóvil adquiere en complemento un manual sobre motores de explosión.

El libro es de lectura deliciosa. Stendhal cuenta siempre, hasta cuando define, razona y teoriza. Para mi gusto, es el mejor narrador que existe, el archinarrador ante el Altísimo. Pero ¿es cierta esta famosa teoría del amor como cristalización? ¿Por qué no se ha hecho un estudio a fondo sobre ella? Se la trae, se la lleva y nadie la somete a un análisis adecuado.

¿No merecía la pena? Nótese que, en resumen, esta teoría califica al amor de constitutiva ficción. No es que el amor yerre a veces, sino que es, por esencia, un error. Nos enamoramos cuando sobre otra persona nuestra imaginación proyecta inexistentes perfecciones. Un día la fantasmagoría se desvanece, y con ella muere el amor. Esto es peor que declarar, según viejo uso, ciego al amor. Para Stendhal es menos que ciego: es visionario. No sólo no ve lo real, sino que lo suplanta.

Basta mirar desde fuera esta doctrina para poder localizarla en el tiempo y en el espacio: es una secreción típica del europeo siglo XIX. Ostenta las dos facciones características: idealismo y pesimismo. La teoría de la «cristalización» es idealista porque hace del objeto externo hacia el cual vivimos una mera proyección del sujeto. Desde el Renacimiento propende el europeo a esta manera de explicarse el mundo como emanación del espíritu. Hasta el siglo XIX ese idealismo fue relativamente alegre. El mundo que el sujeto proyecta en torno suyo es, a su modo, real, auténtico y lleno de sentido. Pero la teoría de la «cristalización» es pesimista. En ella se tiende a demostrar que lo que consideramos funciones normales de nuestro espíritu no son más que casos especiales de anormalidad. Así, Taine quiere convencernos de que la percepción normal no es sino una alucinación continuada y colectiva. Esto es típico en la ideología de la pasada centuria. Se explica lo normal por lo anormal, lo superior por lo inferior. Hay un extraño empeño en mostrar que el Universo es un absoluto *quid pro quo,* una inepcia constitutiva. El moralista procurará insinuarnos que todo altruismo es un larvado egoísmo. Darwin describirá pacientemente la obra modeladora que la muerte realiza en la vida y hará de la lucha por la existencia el máximo poder vital. Parejamente, Carlos Marx pondrá en la raíz de la historia la lucha de clases.

Pero la verdad es de tal modo opuesta a este terco pesimismo, que acierta a instalarse dentro de él sin que el pensador amargo lo advierta. Así en la teoría de la «cristalización». Porque en ella, a la postre, se reconoce que el hombre sólo ama lo amable, lo digno de ser amado. Mas no habiéndolo —a lo que parece— en la realidad, tiene que imaginarlo. Esas perfecciones fantaseadas son las que suscitan el amor. Es muy fácil calificar de ilusorias las cosas excelentes. Pero quien lo hace olvida plantearse el problema que entonces resulta. Si esas cosas excelentes no existen, ¿cómo venimos a noticia de ellas? Si no hay en la mujer real motivos suficientes para provocar la exaltación amorosa, ¿en qué inexistente *ville d'eaux* hemos conocido a la mujer imaginaria capaz de enardecernos?

Se exagera, evidentemente, el poder de fraude que en el amor reside. Al notar que a veces miente calidades que, en realidad, no posee el ser amado, debíamos preguntarnos si lo falsificado no es más bien el amor mismo. Una psicología del amor tiene que ser muy suspicaz en punto a la autenticidad del sentimiento que analiza. A mi juicio, lo más agudo en el tratado de Stendhal es esta sospecha de que hay amores que no lo son. No otra cosa significa su ilustre clasificación de las especies eróticas: *amour-goût, amour-vanité, amour-passion,* etc. Es harto natural que si un amor comienza por ser él falso en cuanto amor, lo sea todo en su derredor y especialmente el objeto que lo inspira.

Sólo «el amor-pasión» es legítimo para Stendhal. Yo creo que aún deja demasiado amplio el círculo de la autenticidad amorosa. También en ese «amor-pasión» habría que introducir especies diferentes. No sólo se miente un amor por vanidad o por *goût*. Hay otra fuente de falsificación más directa y constante. El amor es la actividad que se ha encomiado más. Los poetas, desde siempre, lo han ornado y pulido con sus instrumentos cosméticos, dotándolo de una extraña realidad abstracta, hasta el punto de que antes de sentirlo lo conocemos, lo estimamos y nos proponemos ejercitarlo, como un arte o un oficio. Pues bien: imagínese un hombre o una mujer que hagan del amor *in genere,* abstractamente, el ideal de su acción vital. Seres así vivirán constantemente enamorados en forma ficticia. No necesitan esperar que un objeto determinado ponga en fluencia su erótica vena, sino que cualquiera servirá para el caso. Se ama el amor, y lo amado no es, en rigor, sino un pretexto. Un hombre a quien esto acontezca, si es aficionado a pensar, inventará irremediablemente la teoría de la cristalización.

Stendhal es uno de estos amadores del amor. En su libro reciente sobre *La vida amorosa de Stendhal,* dice Abel Bonnard: «No pide a las mujeres otra cosa que autorizar sus ilusiones. Ama con el fin de no sentirse solo; pero, en verdad, se fabrica él solo las tres cuartas partes de sus amores.»

Hay dos clases de teorías sobre el amor. Una de ellas contiene doctrinas convencionales, puros tópicos que se repiten sin previa intuición de las realidades que enuncian. Otra comprende nociones más sustanciosas, que provienen de la experiencia personal. Así en lo que conceptualmente opinamos sobre el amor se dibuja y revela el perfil de nuestros amores.

En el caso de Stendhal no hay duda alguna. Se trata de un hombre que ni verdaderamente amó ni, sobre todo, verdaderamente fue amado. Es una vida llena de falsos amores. Ahora bien: de los falsos amores sólo puede quedar en el alma la melancólica advertencia de su falsedad, la experiencia de su evaporación. Si se analiza y se descompone la teoría stendhaliana, se ve claramente que ha sido pensada del revés; quiero decir que el hecho culminante en el amor es para Stendhal su conclusión. ¿Cómo explicar que el amor concluya si el objeto amado permanece idéntico? Sería preciso más bien suponer —como hizo Kant en la teoría del conocimiento— que nuestras emociones eróticas no se regulan por el objeto hacia que van, sino al contrario: que el objeto es elaborado por nuestra apasionada fantasía. El amor muere porque su nacimiento fue una equivocación.

Chateaubriand no hubiera pensado así, porque su experiencia era opuesta. He aquí un hombre que —incapaz de sentir el amor verdaderamente— ha tenido el don de provocar amores auténticos. Una y otra y otra han pasado junto a él y han quedado súbitamente transidas de amor para siempre. *Súbitamente y para siempre*. Chateaubriand habría forzosamente urdido una doctrina en la cual fuera esencial al amor verdadero no morir nunca y nacer de golpe.

II

[SUBITAMENTE Y PARA SIEMPRE]

Los amores comparados de Chateaubriand y de Stendhal constituirían un tema de alto rendimiento psicológico que enseñaría algunas cosas a los que hablan tan ligeramente de Don Juan. He aquí dos hombres de gigantesco poder creador. No se dirá que son dos señoritos chulos —ridícula imagen en que ha venido a reducirse Don Juan para ciertas mentes angostísimas y eriales. Sin embargo, estos dos hombres han dedicado sus mejores energías a procurar vivir siempre enamorados. No lo han conseguido, ciertamente. Por lo visto, es asunto difícil para un alma prócer caer en amoroso frenesí. Pero el caso es que lo han intentado día por día y que casi siempre lograban hacerse la ilusión de que amaban. Tomaban mucho más en serio sus amores que su obra. Es curioso que solamente los incapaces de hacer obra grande creen que lo debido es lo contrario: tomar en serio la ciencia, el arte o la política y desdeñar los amores como materia frívola. Yo no entro ni salgo: me limito a hacer constar que los grandes productores humanos han solido ser gente muy poco seria, según la idea *petite-bourgeoise* de esta virtud.

Pero lo importante desde el punto de vista del donjuanismo es la oposición entre Stendhal y Chateaubriand. De ambos, es Stendhal quien se afana más denodadamente en torno a la mujer. Sin embargo, es todo lo contrario de un Don Juan. El Don Juan es el otro, ausente siempre, envuelto en su niebla de melancolía y que probablemente no cortejó jamás a ninguna mujer.

El error de más calibre que cabe cometer cuando se trata de definir la figura de Don Juan es fijarse en hombres que se pasan la vida haciendo el amor a las mujeres. En el mejor caso llevará esto a tropezar con un tipo inferior y trivial de Don Juan; pero es lo más probable que por tal ruta se llegue más bien al tipo más opuesto. ¿Qué acontecería si al querer definir el poeta nos fijásemos en los malos poetas? Precisamente porque el mal poeta no es poeta, sólo hallaremos en él el afán, el trajín, los sudores y esfuerzos con que aspira vanamente a lo que no logra. El mal poeta sustituye la ausente inspiración con el atuendo convencional: melena y chalina. Del mismo modo, ese Don Juan laborioso que hace cada día su jornada de erotismo, ese Don Juan que «parece» tan claramente Don Juan, es justamente su negación y su vacío.

Don Juan no es el hombre que hace el amor a las mujeres, sino el hombre a quien las mujeres hacen el amor. Este, este es el indubitable hecho humano sobre que debían haber meditado un poco más los escritores que últimamente se han propuesto el grave tema del donjuanismo. Es un hecho que existen hombres de los cuales se enamoran con superlativa intensidad y frecuencia las mujeres. He ahí materia sobrada para la reflexión. ¿En qué consiste ese don extraño? ¿Qué misterio vital se esconde tras ese privilegio? Lo otro, el moralizar en torno a cualquiera ridícula figura de Don Juan que venga en gana fingir, me parece demasiado inocente para ser fecundo. Es el eterno vicio de los predicadores: inventar un maniqueo estúpido a fin de gozarse en refutar al maniqueo.

Stendhal dedica cuarenta años a batir las murallas de la feminidad. Elucubra todo un sistema estratégico con principios y corolarios. Va y viene, se obstina y desvencija en la tarea tenazmente. El resultado es nulo. Stendhal no consiguió ser amado verdaderamente por ninguna mujer. No debe sorprender esto demasiado. La mayor parte de los hombres sufre igual destino. Hasta el punto de que para compensar la desventura se ha creado el hábito y la ilusión de aceptar como buen amor cierta vaga adhesión o tolerancia de la mujer, que se logra a fuerza de mil trabajos. Acontece lo mismo que en el orden estético. La mayor parte de los hombres mueren sin haber gozado jamás una auténtica emoción de arte. Sin embargo, se ha convenido en aceptar como tales el cosquilleo que produce un vals o el interés dramático que un novelón provoca.

Los amores de Stendhal fueron pseudoamores de este linaje . Abel Bonnard no insiste debidamente sobre esto en su *Vida amorosa de Stendhal,* que acabo de leer y me mueve a escribir estas notas. La advertencia es importante, porque explica el error radical en su teoría del amor. La base de ésta es una experiencia falsa.

Stendhal cree —consecuente con los hechos de su experiencia— que el amor se «hace» y, además, que concluye. Ambos atributos son característicos de los pseudoamores.

Chateaubriand, por el contrario, se encuentra siempre «hecho» el amor. No necesita afanarse. La mujer pasa a su vera y súbitamente se siente cargada de una mágica electricidad. Se entrega desde luego y totalmente. ¿Por qué? ¡Ah! Ese es el secreto que los tratadistas del donjuanismo hubieran debido revelarnos. Chateaubriand no es un hombre hermoso. Pequeño y cargado de espaldas. Siempre malhumorado, disciplente, distante. Su adhesión a la mujer amante dura ocho días. Sin embargo, aquella mujer que se enamoró a los veinte años, sigue a los ochenta prendada del «genio», a quien tal vez no volvió a ver. Esto no son imaginaciones: son hechos documentales.

Un ejemplo entre muchos: la marquesa de Custine, la «primera cabellera» de Francia. Pertenecía a una de las familias más nobles y era bellísima. Durante la revolución, casi una niña, es condenada a la guillotina. Se salva gracias al amor que despierta en un zapatero, miembro del Tribunal. Emigra a Inglaterra. Cuando vuelve, acaba de publicar Chateaubriand *Atala*. Conoce al autor e inmediatamente brota en ella la locura amorosa. A Chateaubriand, perennemente caprichoso, se le antoja que madame de Custine compre el castillo de Fervaques, una antigua residencia señorial donde Enrique IV pasó una noche. La marquesa reúne cuanto puede de su fortuna, aún no bien reconstruida después de la emigración, y compra el castillo. Pero Chateaubriand no muestra premura en visitarlo. Por fin, al cabo del tiempo, pasa allí unos días, horas sublimes para aquella mujer apasionada. Chateaubriand lee un dístico que Enrique IV ha intallado en la chimenea con su cuchillo de caza:

La dame de Fervaques
mérite de vives attaques.

Las horas de dicha transcurren aceleradamente, sin retorno posible. Chateaubriand se aleja para no volver o poco menos: navega ya hacia nuevas islas de amor. Pasan los meses, los años. La marquesa de Custine se acerca a los setenta. Un día enseña el castillo a un visitante. Al llegar éste a la habitación de la gran chimenea, dice: «¿De modo que este es el lugar donde Chateaubriand estaba a los pies de usted?» Y ella, pronta, extrañada y como ofendida: «¡Ah, no señor mío, no; yo a los pies de Chateaubriand!»

Este tipo de amor en que un ser queda adscrito de una vez para siempre y del todo a otro ser —especie de metafísico injerto— fue desconocido para Stendhal. Por eso cree que es esencial a un amor su consunción, cuando probablemente la verdad está más cerca de lo contrario. Un amor pleno, que haya nacido en la raíz de la persona, no puede verosímilmente morir. Va inserto por siempre en el alma sensible. Las circunstancias —por ejemplo, la lejanía— podrán impedir su necesaria nutrición, y entonces ese amor perderá volumen, se convertirá en un hilillo sentimental, breve vena de emoción que seguirá manando en el subsuelo de la conciencia. Pero no morirá: su calidad sentimental perdura intacta. En ese fondo radical, la persona que amó se sigue sintiendo absolutamente adscrita a la amada. El azar podrá llevarla de aquí para allá en el espacio físico y en el social. No importa: ella seguirá estando junto a quien ama. Este es el síntoma supremo del verdadero amor: estar al lado de lo amado, en un contacto y proximidad más profundos que los espaciales. Es un estar vitalmente con el otro. La palabra más exacta, pero demasiado técnica, sería: un estar ontológicamente con el amado, fiel al destino de éste, sea el que sea. La mujer que ama al ladrón, hállese ella con el cuerpo dondequiera, está con el sentido en la cárcel.

III

[AMOR A LA PERFECCION]

Conocida es la metáfora que proprociona a Stendhal el vocablo «cristalización» para denominar su teoría del amor. Si en las minas de Salzburgo se arroja una rama de arbusto y se recoge al día siguiente, aparece transfigurada. La humilde forma botánica se ha cubierto de irisados cristales que recaman prodigiosamente su aspecto. Según Stendhal, en el alma capaz de amor acontece un proceso semejante. La imagen real de una mujer cae dentro del alma masculina, y poco a poco se va recamando de superposiciones imaginarias, que acumulan sobre la nuda imagen toda posible perfección.

Siempre me ha parecido esta ilustre teoría de una superlativa falsedad. Tal vez lo único que de ella podemos salvar es el reconocimiento implícito —ni siquiera declarado— de que el amor es, en algún sentido y de alguna manera, impulso hacia lo perfecto. Por todo ello cree Stendhal necesario suponer que imaginamos perfecciones. Sin embargo, él no se ocupa de este punto; lo da por supuesto, lo deja a la espalda de su teoría, y ni advierte siquiera que es el momento más grave, más profundo, más misterioso del amor. La teoría de la «cristalización» se preocupa más bien de explicar el fracaso del amor, la desilusión de fallidos entusiasmos; en suma, el desenamoramiento y no el enamoramiento.

Como buen francés, Stendhal es superficial desde el instante en que empieza a hablar en general. Pasa al lado del hecho formidable y esencial sin reparar en él, sin sorprenderse. Ahora bien: sorprenderse de lo que parece evidente y naturalísimo es el don del filósofo. Ved cómo Platón va derecho, sin vacilaciones, y agarra con sus pinzas mentales el nervio tremebundo del amor. «El amor —dice— es un anhelo de engendrar en la belleza.» ¡Qué ingenuidad! —dicen las damas doctoresas en amor, tomando sus *cocktails* en todos los hoteles Ritz del mundo. No sospechan las damas la irónica complacencia del filósofo cuando ante sus palabras ve saetear en los ojos encantadores de las damas esa atribución de ingenuidad. Olvidan un poco que cuando el filósofo les habla sobre el amor, no les hace el amor, sino todo lo contrario. Como Fichte indicaba, filosofar quiere decir propiamente no vivir, lo mismo que vivir quiere decir propiamente no filosofar. ¡Delicioso poder de ausentarse de la vida, de evadirse, por una virtual dimensión que el filósofo posee y que percibe eminentemente cuando parece ingenuo a la mujer! En la doctrina de amor sólo interesa a ésta —como a Stendhal— la menuda psicología y la anécdota. Y yo no niego que sean interesantes; sólo me permito insinuar que detrás de todo eso están los mayores problemas del erotismo y, en el rango supremo, éste que Platón formuló hace veinticinco siglos.

Aunque sea de soslayo, miremos un instante la enorme cuestión.

En el vocabulario platónico, «belleza» es el nombre concreto de lo que más genéricamente nosotros solemos llamar «perfección». Formulada con alguna cautela, pero ateniéndonos rigorosamente al pensamiento de Platón, su idea es ésta: en todo amor reside un afán de unirse el que ama a otro ser que aparece dotado de alguna perfección. Es, pues, un movimiento de nuestra alma hacia algo en algún sentido excelente, mejor, superior, Que esta excelencia sea real o imaginaria no hace variar en lo más mínimo el hecho de que el sentimiento erótico —más exactamente dicho, el amor sexual— no se produce en nosotros sino en vista de algo que juzgamos perfección. Ensaye el lector representarse un estado amoroso —de amor sexual— en que el objeto no presente a los ojos del que ama ningún haz de excelencia, y verá cómo es imposible. Enamorarse es, por lo pronto, sentirse encantado por algo (ya veremos con algún detalle qué es esto del «encantamiento»), y algo sólo puede encantar si es o parece ser perfección. No quiero decir que el ser amado parezca íntegramente perfecto —este es el error de Stendhal. Basta que en él haya alguna perfección, y claro es que perfección en el horizonte humano quiere decir, no lo que está absolutamente bien, sino lo que está mejor que el resto, lo que sobresale en un cierto orden de cualidad; en suma: la excelencia.

Esto es lo primero. Lo segundo es que esa excelencia incita a buscar la unión con la persona dueña de ella. ¿Qué es esto de «unión»? Los más auténticos enamorados dirán con verdad que no sentían —por lo menos en primer término— apetito de unión corporal. El punto es delicado y exige la mayor precisión. No se trata de que el amante no desee también la unión carnal con la amada. Mas, por lo mismo que la desea «también», sería falso decir que es eso lo que desea.

Una observación capital es aquí de urgencia. Nunca se ha distinguido suficientemente —tal vez con la sola excepción de Scheler— entre el «amor sexual» y el «instinto sexual», hasta el punto de que cuando se nombra aquél se suele entender éste. Cierto que en el hombre los instintos aparecen casi siempre trabados con formas sobreinstintivas, de carácter anímico y aun espiritual. Muy pocas veces vemos funcionar por separado un puro instinto. La idea habitual que del «amor físico» se tiene es, a mi juicio, exagerada. No es tan fácil ni tan frecuente sentir atracción exclusivamente física. En la mayor parte de los casos, la sexualidad va sostenida y complicada por gérmenes de entusiasmo sentimental, de admiración hacia la belleza corporal, de simpatía, etc. No obstante, los casos de ejercicio sexual puramente instintivo son de sobra numerosos para poder distinguirlos del verdadero «amor sexual». La diferencia aparece clara, sobre todo en las dos situaciones extremas: cuando el ejercicio de la sexualidad es reprimido por razones morales o de circunstancias, o cuando, por el contrario, el exceso de ella degenera en lujuria. En ambos casos se nota que, «a diferencia del amor», la pura voluptuosidad —diríamos la pura impureza— preexiste a su objeto. Se siente el apetito antes de conocer la persona o situación que lo satisface. Consecuencia de esto es que puede satisfacerse con cualquiera. El instinto no prefiere cuando es sólo instinto. No es, por sí mismo, impulso hacia una perfección.

El instinto sexual asegura, tal vez, la conservación de la especie, pero no su perfeccionamiento. En cambio, el auténtico amor sexual, el entusiasmo hacia otro ser, hacia su alma y hacia su cuerpo, en indisoluble unidad, es por sí mismo, originariamente, una fuerza gigantesca encargada de mejorar la especie. En lugar de preexistir a su objeto, nace siempre suscitado por un ser que aparece ante nosotros, y de ese ser es alguna cualidad egregia lo que dispara el erótico proceso.

Apenas comienza éste, experimenta el amante una

extraña urgencia de disolver su individualidad en la del otro, y, viceversa, absorber en la suya la del ser amado. ¡Misterioso afán! Mientras en todos los otros casos de la vida nada repugnamos tanto como ver invadidas por otro ser las fronteras de nuestra existencia individual, la delicia del amor consiste en sentirse metafísicamente poroso para otra individualidad, de suerte que sólo en la fusión de ambas, sólo en una «individualidad de dos» halla satisfacción. Recuerda esto la doctrina de los saint-simonianos, según la cual, el verdadero individuo humano es la pareja hombre-mujer. Sin embargo, no para en esto el anhelo de fusión. Cuando el amor es plenario culmina en un deseo más o menos claro de dejar simbolizada la unión en un hijo en quien se prolonguen y afirmen las perfecciones del ser amado. Este tercer elemento, precipitado del amor, parece recoger en toda pureza su esencial sentido. El hijo ni es del padre ni de la madre: es unión de ambos personificada y es afán de perfección modelado en carne y en alma. Tenía razón el ingenuo Platón: el amor es anhelo de engendrar en lo perfecto, o como otro platónico, Lorenzo de Médicis, había de decir: es *appetito di bellezza*.

La ideología de los últimos tiempos ha perdido la inspiración cosmológica y se ha hecho casi exclusivamente psicológica. Los refinamientos en la psicología del amor, amontonando sutil casuística, han retirado nuestra atención de esa faceta cósmica, elemental del amor. Nosotros vamos a entrar ahora también en la zona psicológica, bien que atacando lo más esencial de ella, pero no debemos olvidar que la multiforme historia de nuestros amores, con todas sus complicaciones y casos, vive a la postre de esa fuerza elemental y cósmica que nuestra psique —primitiva o refinada, sencilla o compleja, de un siglo o de otro— no hace sino administrar y modelar variamente. Las turbinas e ingenios de diverso formato que sumergimos en el torrente no deben hacernos olvidar la fuerza primaria de éste que nos mueve misteriosamente.

IV

No se puede negar a esta idea de la «cristalización» un primer pronto de gran evidencia. Es muy frecuente, en efecto, que nos sorprendamos en error a lo largo de nuestros amores. Hemos supuesto en lo amado gracias y primores ausentes. ¿No habrá que dar la razón a Stendhal? Yo creo que no. Cabe no tener razón de puro tenerla demasiado. No faltaba más sino que, equivocándonos a toda hora en nuestro comercio con la realidad, sólo en el amor fuésemos certeros. La proyección de elementos imaginarios sobre un objeto real se ejecuta constantemente. En el hombre, ver las cosas —¡cuánto más apreciarlas!— es siempre completarlas. Ya Descartes advertía que cuando al abrir la ventana pensaba ver pasar hombres por la calle, cometía una inexactitud. ¿Qué era lo que en rigor veía? *Chapeaux et manteaux: rien de plus.* (Una curiosa observación de pintor impresionista que nos hace pensar en *Les petits chevaliers,* de Velázquez, conservados en el Louvre y copiados por Manet.) Estrictamente hablando, no hay nadie que vea las cosas en su nuda realidad. El día que esto acaezca será el último día del mundo, la jornada de la gran revelación. Entretanto, consideramos adecuada la percepción de lo real que, en medio de una niebla fantástica, nos deja apresar siquiera el esqueleto del mundo, sus grandes líneas tectónicas. Muchos, la mayor parte, no llegan ni a eso: viven de palabras y sugestiones; avanzan por la existencia sonambúlicamente, trotando dentro de su delirio. Lo que llamamos genio no es sino el poder magnífico que algún hombre tiene de distender un poro de esa niebla imaginativa y descubrir a su través, tiritando de puro desnudo, un nuevo trozo auténtico de realidad.

Lo que parece, pues, evidente en la teoría de la «cristalización» rebosa el problema del amor. Toda nuestra vida mental es, en varia medida, cristalización. No se trata, por lo tanto, de nada específico en el caso del amor. Sólo cabría suponer que en el proceso erótico la cristalización aumenta en proporción anómala. Pero esto es completamente falso, por lo menos en el sentido que Stendhal supone. No es más ilusoria la apreciación del amante que la del partidario político, la del artista, del negociante, etc. Poco más o menos, se es en amor tan romo o tan perspicaz como se sea de ordinario en el juicio sobre el prójimo. La mayor parte de la gente es torpe en su percepción de las personas, que son el objeto más complicado y más sutil del universo.

Para dar al traste con la teoría de la cristalización basta con fijarse en los casos en que evidentemente no la hay: son los casos ejemplares del amor en que ambos participantes poseen un espíritu claro y dentro de los límites humanos no padecen error. Una teoría del erotismo ha de comenzar por explicarnos sus formas más perfectas, en vez de orientarse, desde luego, hacia la patología del fenómeno que estudia. Y el hecho es que, en aquellos casos, en vez de proyectar el hombre donde no existen perfecciones que preexistían en su mente, halla de pronto existentes en una mujer calidades de especie hasta entonces desconocida por él. Nótese que se trata precisamente de calidades femeninas. ¿Cómo pueden éstas, si son un poco originales, preexistir en la mente de un varón? O, viceversa, de excelencias varoniles que la mente femenina anticipase. La parte de verdad que haya en una posible anticipación y como invención de primores antes de hallarlos en la realidad no tiene nada que ver con la idea de Stendhal. Ya hablaremos del sutil asunto.

Hay, ante todo, un error garrafal de observación en esta teoría. Supone, según parece, que el estado amoroso implica una sobreactividad de la conciencia. La cristalización stendhaliana parece indicar lujo de labor espiritual, enriquecimiento y acumulación. Ahora bien: conviene resueltamente decir que el enamoramiento es un estado de miseria mental en el que la vida de nuestra conciencia se estrecha, empobrece y paraliza.

He dicho «el enamoramiento». So pena de continuar emitiendo inepcias, como es uso, en torno al tema del amor, es preciso que pongamos algún rigor en el vocabulario. Con el vocablo «amor», tan sencillo y de tan pocas letras. se denominan innumerables fenómenos, tan diferentes entre sí, que fuera prudente dudar si tienen algo de común. Hablamos de «amor» a una mujer; pero también de «amor de Dios», «amor a la patria», «amor al arte», «amor maternal», «amor filial», etc. Una sola y misma voz ampara y nombra la fauna emocional más variada.

Un vocablo es equívoco cuando con él denominamos cosas que no tienen entre sí comunidad esencial, sin nada importante que en todas ellas sea idéntico. Así, la voz «león», usada para nombrar al ilustre felino a la vez que para designar los Papas romanos y la ciudad española León. El azar ha hecho que un fonema se cargue de diversas significaciones, las cuales aluden y nombran objetos radicalmente distintos. Los gramáticos y lógicos hablan entonces de «polisemia»; el vocablo posee múltiple significación.

¿Es este el caso del nombre «amor» en las expresiones antedichas? Entre el «amor a la ciencia» y el «amor a la mujer», ¿existe alguna semejanza importante? Confrontando ambos estados de alma encontramos que en ellos casi todos los elementos son distintos. Hay, sin embargo, un ingrediente idéntico, que un análisis cuidadoso nos permitiría aislar en uno y otro fenómeno. Al verlo exento, separado de los restantes factores que integran ambos estados de alma, comprenderíamos que sólo merece rigorosamente el nombre de «amor». Por obra de una ampliación práctica, pero imprecisa, lo aplicamos al estado de alma entero, a pesar de que en éste van muchas otras cosas que no son propiamente «amor», que ni siquiera son sentimiento.

Es lamentable que la labor psicológica de los últimos cien años no haya desembocado aún en la cultura general y sea forzoso, de ordinario, reducirse a la óptica gruesa, que aún suele emplearse para contemplar la psique humana.

El amor, hablando estrictamente [1], es pura actividad sentimental hacia un objeto, que puede ser cualquiera, persona o cosa. A fuer de actividad «sentimental», queda, por una parte, separado de todas las funciones intelectuales —percibir, atender, pensar, recordar, imaginar—; por otra parte, del deseo con que a menudo se le confunde. Se desea, cuando hay sed, un vaso de agua; pero no se le ama. Nacen, sin duda, del amor deseos; pero el amor mismo no es desear. Deseamos venturas a la patria y deseamos vivir en ella «porque» la amamos. Nuestro amor es previo a esos deseos, que nacen de él como la planta de la simiente.

A fuer de «actividad» sentimental, el amor se diferencia de los sentimientos inertes, como alegría o tristeza. Son éstos a manera de una coloración que tiñe nuestra alma. Se «está» triste o se «está» alegre, en pura pasividad. La alegría, por sí, no contiene actuación ninguna, aunque pueda llevar a ella. En cambio, amar algo no es simplemente «estar», sino actuar hacia lo amado. Y no me refiero a los movimientos físicos o espirituales que el amor provoca, sino que el amor es de suyo, constitutivamente, un acto transitivo en que nos afanamos hacia lo que amamos. Quietos, a cien leguas del objeto, y aun sin que pensemos en él, si lo amamos, estaremos emanando hacia él una fluencia indefinible, de carácter afirmativo y cálido. Esto se advierte con claridad si confrontamos el amor con el odio. Estar odiando algo o alguien no es un «estar» pasivo, como el estar triste, sino que es, en algún modo, acción, terrible acción negativa, idealmente destructora del objeto odiado. Esta advertencia de que hay una actividad sentimental específica, distinta de todas las actividades corporales y de todas las demás del espíritu, como la intelectual, la del deseo y de la volición, me

_____

[1] Por tanto, el amor sólo, no el estado total de la persona que ama.

parece de una importancia decisiva para una fina psicología del amor. Cuando se habla de éste, casi siempre se describen sus resultados. Casi nunca se coge con las pinzas del análisis el amor mismo, en lo que tiene de peculiar y distinto de la restante fauna psíquica.

Ahora puede parecer admisible que el «amor a la ciencia» y el «amor a la mujer» tengan un ingrediente común. Esa actividad sentimental, ese cálido y afirmativo interés nuestro en otro ser por él mismo, puede indiferentemente dirigirse a una persona femenina, a un trozo de tierra (la patria), a una clase de ejercicio humano: el deporte, la ciencia, etc. Y debiera añadirse que, en definitiva, todo lo que no es pura actividad sentimental, todo lo que es diferente en el «amor a la ciencia» y en el «amor a la mujer» no es propiamente amor.

Hay muchos «amores» donde existe de todo menos auténtico amor. Hay deseo, curiosidad, obstinación, manía, sincera ficción sentimental; pero no esa cálida afirmación del otro ser, cualquiera que sea su actitud para con nosotros. En cuanto a los «amores» donde efectivamente la hallamos, es preciso no olvidar que contienen muchos otros elementos además del amor *sensu stricto*.

En sentido lato, solemos llamar amor al «enamoramiento», un estado de alma complejísimo, donde el amor en sentido estricto tiene un papel secundario. Stendhal se refiere a él cuando titula su libro *De l'amour*, con una generalidad abusiva que revela la insuficiencia de su horizonte filosófico.

Pues bien: de ese «enamoramiento» que la teoría de la cristalización nos presenta como una hiperactividad del alma, quisiera yo decir que es, más bien, un angostamiento y una relativa paralización de nuestra vida de conciencia. Bajo su dominio somos menos, y no más, que en la existencia habitual. Esto nos llevará a delinear en esquema la psicología del arrebato erótico.

V

El «enamoramiento» es, por lo pronto, un fenómeno de la atención.

En cualquier momento que sorprendamos la vida de nuestra conciencia hallaremos que el campo de ella se encuentra ocupado por una pluralidad de objetos exteriores e interiores. Esos objetos, que en cada caso llenan el volumen de nuestra mente, no están en confuso montón. Hay en ellos siempre un orden mínimo, una jerarquía. En efecto, siempre hallaremos alguno de ellos destacado sobre los demás, preferido, especialmente iluminado, como si nuestro foco mental, nuestra preocupación lo esfumase en su fulgor, aislándolo del resto. Es constitutivo de nuestra conciencia atender algo. Pero no le es posible atender algo sin desatender otras cosas que, por ello, quedan en una forma de presencia secundaria, a manera de coro y de fondo.

Como el número de objetos que componen el mundo de cada cual es muy grande y el campo de nuestra conciencia muy limitado, existe entre ellos una especie de lucha para conquistar nuestra atención. Propiamente, nuestra vida de alma y de espíritu es sólo la que se verifica en esa zona de máxima iluminación. El resto —la zona de desatención consciente, y más allá, lo subconsciente, etc.— es sólo vida en potencia, preparación, arsenal o reserva. Se puede imaginar la conciencia atenta como el espacio propio de nuestra personalidad. Tanto vale, pues, decir que atendemos una cosa, como decir que esa cosa desaloja un cierto espacio en nuestra personalidad.

En el régimen normal, la cosa atendida ocupa unos momentos ese centro privilegiado, del cual es expulsada pronto para dejar a otra su puesto. En suma, la atención se desplaza de un objeto a otro, deteniéndose más o menos en ellos, según su importancia vital. Imagínese que un buen día nuestra atención quedase paralizada, fija en un objeto. El resto del mundo quedaría relegado, distante, como inexistente, y, faltando toda posible comparación, el objeto anómalamente atendido adquiriría para nosotros proporciones enormes. Tales, que, en rigor, ocuparía todo el ámbito de nuestra mente y sería para nosotros, él solo, equivalente a todo ese mundo que hemos dejado fuera merced a nuestra radical desatención. Acaece, pues, lo mismo que si aproximamos a los ojos nuestra mano: siendo tan pequeño cuerpo, basta para tapar el resto del paisaje y llenar por entero nuestro campo visual. Lo atendido tiene para nosotros *ipso facto* más realidad, más vigorosa existencia que lo desatendido, fondo exangüe y casi fantasma que aguarda en la periferia de nuestra mente. Al tener más realidad, claro es que se carga de mayor estima, se hace más valioso, más importante y compensa el resto oscurecido del universo.

Cuando la atención se fija más tiempo o con más frecuencia de lo normal en un objeto, hablamos de «manía». El maniático es un hombre con un régimen atencional anómalo. Casi todos los grandes hombres han sido maniáticos, sólo que las consecuencias de su manía, de su «idea fija», nos parecen útiles o estimables. Cuando preguntaban a Newton cómo había podido descubrir su sistema mecánico del universo, respondió: *Nocte dieque incubando* («pensando en ello día y noche»). Es una declaración de obseso. En verdad, nada nos define tanto como cuál sea nuestro régimen atencional. En cada hombre se modula de manera diversa. Así, para un hombre habituado a meditar, insistiendo sobre cada tema a fin de hacerle rendir su secreto jugo, la ligereza con que la atención del hombre de mundo resbala de objeto en objeto es motivo de mareo. Viceversa, al hombre de mundo le fatiga y angustia la lentitud con que avanza la atención del pensador, que va como una red de fondo rascando la áspera entraña del abismo. Luego hay las diferentes preferencias de la atención que constituyen la base misma del carácter. Hay quien, si en la conversación surge un dato económico, queda absorto, como si hubiese caído por un escotillón. En otro irá la atención espontáneamente, por propio declive, hacia el arte o hacia asuntos sexuales. Cabría aceptar esta fórmula: dime lo que atiendes y te diré quién eres.

Pues bien: yo creo que el «enamoramiento» es un fenómeno de la atención, un estado anómalo de ella que en el hombre normal se produce.

Ya el hecho inicial del «enamoramiento» lo muestra. En la sociedad se hallan frente a frente muchas mujeres y muchos hombres. En estado de indiferencia, la atención de cada hombre —como de cada mujer— se desplaza de uno en otro sobre los representantes del sexo contrario. Razones de simpatía antigua, de mayor proximidad, etc., harán que esa atención de la mujer se detenga un poco más sobre este varón que sobre el otro; pero la desproporción entre el atender a uno y desatender a los demás no es grande. Por decirlo así —y salvas esas pequeñas diferencias—, todos los hombres que la mujer conoce están a igual distancia atencional de ella, en fila recta. Pero un día este reparto igualitario de la atención cesa. La atención de la mujer propende a detenerse por sí misma en uno de esos hombres, y pronto le supone un esfuerzo desprender de él su pensamiento, movilizar hacia otros u otras cosas la preocupación. La fila rectilínea se ha roto: uno de los varones queda destacado, a menor distancia atencional de aquella mujer.

El «enamoramiento», en su iniciación, no es más que eso: atención anómalamente detenida en otra persona. Si ésta sabe aprovechar su situación privilegiada y nutre ingeniosamente aquella atención, lo demás se producirá con irremisible mecanismo. Cada día se hallará más adelantado sobre la fila de los otros, de los indiferentes; cada día desalojará mayor espacio en el alma atenta. Esta se irá sintiendo incapaz de desatender a aquel privilegiado. Los demás seres y cosas serán poco a poco desalojados de la conciencia. Dondequiera que la «enamorada» esté, cualquiera que sea su aparente ocupación, su atención gravitará por el propio peso hacia aquel hombre. Y, viceversa, le costará una gran violencia arrancarla un momento de esa dirección y orientarla hacia las urgencias de la vida. San Agustín vio sagazmente este ponderar espontáneo hacia un objeto que es característico del amor. *Amor meus, pondus meum: illo feror, quocumque feror.* («Mi amor es mi peso: por él voy dondequiera que voy.»)

No se trata, pues, de un enriquecimiento de nuestra vida mental. Todo lo contrario. Hay una progresiva eliminación de las cosas que antes nos ocupaban. La conciencia se angosta y contiene sólo un objeto. La atención queda paralítica: no avanza de una cosa a otra. Está fija, rígida, presa de un solo ser. *Theia manía* («manía divina»), decía Platón. (Ya veremos de dónde viene este «divina», tan sorprendente y excesivo.)

Sin embargo, el enamorado tiene la impresión de que su vida de conciencia es más rica. Al reducirse su mundo se concentra más. Todas sus fuerzas psíquicas convergen para actuar en un solo punto, y esto da a su existencia un falso aspecto de superlativa intensidad.

Al propio tiempo, ese exclusivismo de la atención dota al objeto favorecido de cualidades portentosas. No es que se finjan en él perfecciones inexistentes. (Ya he mostrado que esto puede ocurrir; pero no es esencial ni forzoso, como erróneamente supone Stendhal.) A fuerza de sobar con la atención un objeto, de fijarse en él, adquiere éste para la conciencia una fuerza de realidad incomparable. Existe a toda hora para nosotros; está siempre ahí, a nuestra vera, más real que ninguna otra cosa. Las demás tenemos que buscarlas, dirigiendo a ellas penosamente nuestra atención, que por sí está prendida a lo amado.

Ya aquí topamos con una gran semejanza entre el enamoramiento y el entusiasmo místico. Suele éste hablar de la «presencia de Dios». No es una frase. Tras ella hay un fenómeno auténtico. A fuerza de orar, meditar, dirigirse a Dios, llega éste a cobrar ante el místico tal solidez objetiva, que le permite no desaparecer nunca de su campo mental. Se halla allí siempre, por lo mismo que la atención no lo suelta. Todo conato de movimiento le hace tropezar con Dios, es decir, recaer en la idea de El. No es, pues, nada peculiar al orden religioso. No hay cosa que no pueda conseguir esa presencia permanente que para el místico goza Dios. El sabio que vive años enteros pensando en un problema, o el novelista que arrastra constantemente la preocupación por su personaje imaginario conocen el mismo fenómeno. Así Balzac, cuando corta una conversación de negocios diciendo: «¡Bueno, volvamos a la realidad! Hablemos de César Birotteau.» También para el enamorado la amada posee una presencia ubicua y constante. El mundo entero está como embebido en ella. En rigor, lo que pasa es que el mundo no existe para el amante. La amada lo ha desalojado y sustituido. Por eso dice el enamorado en una canción irlandesa: «¡Amada, tú eres mi parte de mundo!»

VI

[DE GRADO Y SIN REMISION]

Reprimamos los gestos románticos y reconozcamos en el «enamoramiento» —repito que no hablo del amor *sensu stricto*— un estado inferior de espíritu, una especie de imbecilidad transitoria. Sin anquilosamiento de la mente, sin reducción de nuestro habitual mundo, no podríamos enamorarnos.

Esta descripción del «amor» es, como se advierte, inversa de la que usa Stendhal. En vez de acumular muchas cosas (perfecciones) en un objeto, según presume la teoría de la cristalización, lo que hacemos es aislar un objeto anormalmente, quedarnos sólo con él, fijos y paralizados, como el gallo ante la raya blanca que lo hipnotiza.

Con esto no pretendo desprestigiar el gran suceso erótico que da en la historia pública y privada tan admirables fulguraciones. El amor es obra de arte mayor, magnífica operación de las almas y de los cuerpos. Pero es indudable que para producirse necesita apoyarse en una porción de procesos mecánicos, automáticos y sin espiritualidad verdadera. Supuestos del amor que tanto vale son, cada uno de por sí, bastante estúpidos y, como he dicho, funcionan mecánicamente.

Así, no hay amor sin instinto sexual. El amor usa de éste como de una fuerza bruta, como el bergantín usa del viento. El «enamoramiento» es otro de esos estúpidos mecanismos, prontos siempre a dispararse ciegamente, que el amor aprovecha y cabalga, buen caballero que es. No se olvide que toda la vida superior del espíritu, tan estimada en nuestra cultura, es imposible sin el servicio de innumerables e inferiores automatismos.

Cuando hemos caído en ese estado de angostura mental, de angina psíquica que es el enamoramiento, estamos perdidos. En los primeros días aún podemos luchar; pero cuando la desproporción entre la atención prestada a una mujer y la que concedemos a las demás y al resto del cosmos pasa de cierta medida, no está ya en nuestra mano detener el proceso.

La atención es el instrumento supremo de la personalidad; es el aparato que regula nuestra vida mental. Al quedar paralizada, no nos deja libertad alguna de movimientos. Tendríamos, para salvarnos, que volver a ensanchar el campo de nuestra conciencia, y para ello sería preciso introducir en él otros objetos que arrebaten al amado su exclusivismo. Si en el paroxismo del enamoramiento pudiésemos de pronto ver lo amado en la perspectiva normal de nuestra atención, su mágico poder se anularía. Mas para hacer esto tendríamos que atender a esas otras cosas, es decir, tendríamos que salir de nuestra propia conciencia, íntegramente ocupada por lo que amamos.

Hemos caído en un recinto hermético, sin porosidad ninguna hacia el exterior. Nada de fuera podrá penetrar y facilitarnos la evasión por el agujero que ella abra. El alma de un enamorado huele a cuarto cerrado de enfermo, a atmósfera confinada, nutrida por los pulmones mismos que van a respirarla.

De aquí que todo el enamoramiento tienda automáticamente hacia el frenesí. Abandonado a sí mismo, se irá multiplicando hasta la extremidad posible.

Esto lo saben muy bien los «conquistadores» de ambos sexos. Una vez que la atención de una mujer se fija en un hombre, es a éste muy fácil llenar por completo su preocupación. Basta con un sencillo juego de tira y afloja, de solicitud y de desdén, de presencia y de ausencia. El pulso de esta técnica actúa como una máquina neumática en la atención de la mujer y acaba por vaciarla de todo el resto de mundo. ¡Que bien dice nuestro pueblo «sorber los sesos»! En efecto: ¡está absorta, absorbida por un objeto! La mayor parte de los «amores» se reducen a este juego mecánico sobre la atención del otro.

Sólo salva al enamorado un choque recibido violentamente de fuera, un tratamiento a que alguien le obligue. Se comprende que la ausencia, los viajes sean una buena cura para enamorados. La lejanía del objeto amado lo desnutre atencionalmente; impide que nuevos elementos de él mantengan vivo el atender. Los viajes, obligando materialmente a salir de sí mismo y resolver mil pequeños problemas, arrancándonos del engaste habitual y apretando contra nosotros mil objetos insólitos, consiguen forzar la consigna maniática y abren poros en la conciencia hermética, por donde entra, con el aire libre, la perspectiva normal.

Ahora convendría afrontar una objeción que, leyendo el capítulo anterior, se le habrá ocurrido al lector. Al definir el enamoramiento como un quedar fija la atención sobre otra persona, no lo separamos bastante de mil casos de la vida en que asuntos políticos o económicos de gravedad y urgencia retienen superlativamente nuestra preocupación.

La diferencia, sin embargo, es radical. En el enamoramiento, la atención se fija por sí misma en el otro ser. En las urgencias vitales, por el contrario, la atención se fija obligada, contra su propio gusto. Casi el mayor enojo de lo enojoso es tener por fuerza que atenderlo. Wundt fue el primero —hace lo menos sesenta años— que distinguió entre la atención activa y la pasiva. Hay atención pasiva cuando, por ejemplo, suena un tiro en la calle. El ruido insólito se impone a la marcha espontánea de nuestra conciencia y fuerza la atención. En el que se enamora no hay esta imposición, sino que la atención va por sí misma a lo amado.

Una psicología delicada de este fenómeno describiría aquí una curiosa situación de doble haz, en que atendemos, a la vez, de grado y sin remisión.

Entendido con sutileza, puede decirse que todo el que se enamora es que quiere enamorarse. Esto distancia el enamoramiento, que es, a la postre, un fenómeno normal, de la obsesión, que es un fenómeno patológico. El obseso no se «fija» en su idea por propia inclinación. Lo horrible de su estado es precisamente que, siendo suya la idea, aparece en su interior con el carácter de feroz imposición ajena, emanada por un «otro» anónimo e inexistente.

Sólo hay un caso en que nuestra atención va por su propio pie a fijarse en otra persona, y, sin embargo, no se trata de enamoramiento. Es el caso del odio. Odio y amor son, en todo, dos gemelos enemigos, idénticos y contrarios. Como hay un enamoramiento, hay —y no con menor frecuencia— un «enodiamiento».

Al emerger de una época de enamoramiento sentimos una impresión parecida a la del despertar que nos hace salir del desfiladero donde se aprietan los sueños. Entonces nos damos cuenta de que la perspectiva normal es más ancha y aireada y percibimos todo el hermetismo y enrarecimiento que padecía nuestra mente apasionada. Durante algún tiempo experimentamos las vacilaciones, las tenuidades y las melancolías de los convalecientes.

Una vez iniciado, el proceso del enamoramiento transcurre con una monotonía desesperante. Quiero decir que todos los que se enamoran, se enamoran lo mismo —el listo y el tonto, el joven y el viejo, el burgués y el artista. Esto confirma su carácter mecánico.

Lo único que en él no es puramente mecánico es su comienzo. Por lo mismo, atrae nuestra curiosidad de psicólogos más que ninguna otra porción del fenómeno. ¿Qué es lo que fija la atención de una mujer en un hombre o de un hombre en una mujer? ¿Qué género de cualidades otorgan esa ventaja a una persona sobre la fila indiferente de las demás? No hay duda que es este el tema más interesante. Pero, a la vez, de una gran complejidad. Porque si todos los que se enamoran se enamoran lo mismo, no todos se enamoran por lo mismo. No existe ninguna cualidad que enamore universalmente.

Pero, antes de entrar en tema tan peliagudo como este de qué es lo que enamora y cuáles los diversos tipos de preferencia erótica, conviene mostrar la semejanza inesperada del enamoramiento, en cuanto parálisis de la atención, con el misticismo y, lo que es más grave aún, con el estado hipnótico.

VII

ENAMORAMIENTO, EXTASIS E HIPNOTISMO

El ama de casa conoce que su criada se ha enamorado cuando empieza a notarla distraída. La pobre mujer no tiene la atención libre para movilizarla sobre las cosas que la rodean. Vive embobada, ensimismada, contemplando en su propio interior la imagen del amado, siempre presente. Esta concentración hacia su propio interior da al enamorado una apariencia de sonámbulo, de lunático, de «encantado». Y, en efecto, es el enamoramiento un encantamiento. El filtro mágico de Tristán ha simbolizado siempre con sugestiva plasticidad el proceso psicológico del «amor».

En los giros del lenguaje usual que condensan atisbos milenarios existen veneros magníficos de psicología sumamente certera y no explotada aún. Lo que enamora es siempre algún «encanto». Y este nombre de la técnica mágica, dado al objeto del amor, nos indica que la mente anónima, creadora del idioma, ha advertido el carácter extranormal e irremisible en que cae el enamorado.

El verso más antiguo es la fómula mágica que se llamó *cantus* y *carmen*. El acto y el efecto mágico de la fómula era la *incantatio*. De aquí *encanto,* y en francés, *charme,* de *carmen*.

Pero, sean cualesquiera sus relaciones con la magia, existe, a mi juicio, una semejanza más profunda que cuanto se ha reparado hasta ahora entre el enamoramiento y el misticismo. Debía haber puesto en la pista de este radical parentesco el hecho de que siempre, con pasmosa coincidencia, el místico adopte para expresarse vocablos e imágenes de erotismo. Todos los que se han ocupado de este fenómeno religioso lo han notado, pero han creído suficiente declarar que se trataba de metáforas no más.

Pasa con la metáfora como pasa con la moda. Hay gentes que cuando han calificado algo de metáfora o de moda creen haberlo aniquilado y no ser menester mayor investigación. ¡Como si la metáfora y la moda no fuesen realidades del mismo orden que las demás, dotadas de no menor consistencia y obedientes a causas y a leyes tan enérgicas como las que gobiernan los giros siderales!

Pero si todos los que han estudiado el misticismo han hecho notar la frecuencia de su vocabulario erótico, no han advertido el hecho complementario que da a aquél verdadera gravedad. Y es que, viceversa, el enamorado propende al uso de expresiones religiosas. Para Platón es el amor una manía «divina», y todo enamorado llama divina a la amada, se siente a su vera «como en el cielo», etc. Este curioso canje léxico entre amor y misticismo hace sospechar alguna comunidad de raíz.

Y, en efecto, el proceso místico es como mecanismo psicológico análogo al enamoramiento. Se parece tanto, que coincide con él hasta en el detalle de ser fastidiosamente monótono. Como todo el que se enamora se enamora lo mismo, los místicos de todos los tiempos y lugares han dado los mismos pasos y han dicho, en rigor, las mismas cosas.

Tómese cualquier libro místico —de la India o de China, alejandrino o árabe, teutónico o español. Siempre se trata de una guía trascendente, de un itinerario de la mente hacia Dios. Y las estaciones y los vehículos son siempre los mismos, salvo diferencias externas y accidentales [1].

Comprendo perfectamente, y de paso comparto, la falta de simpatía que han mostrado siempre las Iglesias hacia los místicos, como si temiesen que las aventuras extáticas trajesen desprestigio sobre la religión. El extático es, más o menos, un frenético. Le falta mesura y claridad mental. Da a la relación con Dios un carácter orgiástico que repugna a la grave serenidad del verdadero sacerdote. El caso es que, con rara coincidencia, el mandarín confuciano experimenta un desdén hacia el místico taoísta, parejo al que el teólogo católico siente hacia la monja iluminada. Los partidarios de la bullanga en todo orden preferirán siempre la anarquía y la embriaguez de los místicos a la clara y ordenada inteligencia de los sacerdotes, es decir, de la Iglesia. Yo siento no poder acompañarles tampoco en esta preferencia. Me lo impide una cuestión de veracidad. Y es ella, que cualquiera

---

[1] La única diferencia, a veces importante, es ésta: algunos místicos han sido «además» grandes pensadores, y al hilo de su misticismo nos comunican una ideología, en ocasiones, genial. Así Plotino o el maestro Eckhart. Pero su «mística» propiamente tal es idéntica a la de los más vulgares extáticos.

teología me parece transmitirnos mucha más cantidad de Dios, más atisbos y nociones sobre la divinidad, que todos los éxtasis juntos de todos los místicos juntos. Porque, en lugar de acercarnos escépticamente al extático, debemos tomarle por su palabra, recibir lo que nos trae de sus inmersiones trascendentes y ver luego si eso que nos presenta vale la pena. Y la verdad es que, después de acompañarle en su viaje sublime, lo que logra comunicarnos es cosa de poca monta. Yo creo que el alma europea se halla próxima a una nueva experiencia de Dios, a nuevas averiguaciones sobre esa realidad, la más importante de todas. Pero dudo mucho que el enriquecimiento de nuestras ideas sobre lo divino venga por los caminos subterráneos de la mística y no por las vías luminosas del pensamiento discursivo. Teología, y no éxtasis.

Pero volvamos a nuestro tema.

El misticismo es también un fenómeno de la atención.

Lo primero que nos propone la técnica mística es que fijemos nuestra atención en algo. ¿En qué? La técnica extática más rigorosa, sabia e ilustre, que es la Yoga, descubre ingenuamente el carácter mecánico de cuanto va a pasar luego, porque a esa pregunta nos responde: en cualquiera cosa. No es, pues, el objeto lo que califica e inspira el proceso, sino que sirve sólo de pretexto para que la mente entre en una situación anormal. En efecto, hay que atender a algo simplemente como medio para desatender todo lo demás del mundo. La vía mística comienza por evacuar de nuestra conciencia la pluralidad de objetos que en ella suele haber y que permite el normal movimiento de la atención. Así, en San Juan de la Cruz, el punto de partida para todo avance ulterior es «la casa sosegada». Embotar los apetitos y las curiosidades: «un desasimiento grande de todo» —dice Santa Teresa—, «un arrancamiento de alma»; esto es, cortar las raíces y ligamentos de nuestros intereses mundanos, plurales, a fin de poder quedar «embebidos» (Santa Teresa) es una sola cosa. Idénticamente pondrá el hindú como condición a la entrada del misticismo: *nanatvam na pasyati* —no ver muchedumbre, diversidad.

Esta operación de espantar las cosas entre que va y viene de sólito nuestro atender se consigue por pura fijación de la mente. En la India se llamó *kasina* este ejercicio, que puede valerse de cualquiera cosa. Por ejemplo: el meditador se fabrica un disco de barro, se sienta cerca de él y fija en él la mirada. O bien desde una altura mira correr un arroyo o contempla un charco donde la luz se refleja. O bien enciende fuego, pone ante él una pantalla donde abre un agujero, y mira la lumbre a su través, etc. Se busca el mismo efecto de máquina neumática a que antes me he referido, merced al cual los enamorados se «sorben los sesos» el uno al otro.

No hay arrobo místico sin previo vacío de la mente. «Por esto —dice San Juan de la Cruz— mandaba Dios que el altar donde se habían de hacer los sacrificios estuviese de dentro vacío», «para que entienda el alma cuán vacía la quiere Dios de todas las cosas»[1]. Y un místico tudesco, más enérgicamente aún, expresa ese alejamiento de la atención para todo lo que no es una sola cosa —Dios—, diciendo: «Yo he desnacido.» El propio San Juan dice bellamente: «Yo no guardo ganado»; esto es, no conservo preocupación ninguna.

Y ahora viene lo más sorprendente: una vez que la mente ha sido evacuada de todas las cosas, el místico nos asegura que tiene a Dios delante, que se halla lleno de Dios. Es decir, que Dios consiste justamente en ese vacío. Por eso habla el maestro Eckhart del «silente desierto de Dios», y San Juan de la «noche oscura del alma»; oscura y, sin embargo, llena de luz; tan llena que, de puro haber sólo luz, la luz no tropieza con nada y es tiniebla. «Esta es la propiedad del espíritu purgado y aniquilado acerca de todas particulares aficiones e inteligencias, que en este no gustar nada ni entender nada en particular, morando en su vacía oscuridad y tinieblas, lo abraza todo con gran

[1] Véase el libro de Jean Baruzi: *Saint Jean de la Croix et le problème de l'expérience mystique*. París, 1924.

disposición para que se verifique en él lo de San Pablo: *Nihil habentes et omnia possidentes.*» («No tienen nada y lo poseen todo.») San Juan denomina en otro sitio este vacío repleto, esta oscuridad luminosa, con la fórmula más deleitable: es —dice— «la soledad sonora».

VIII

Quedamos, pues, en que el místico, como el enamorado, logra su anormal estado «fijando» la atención en un objeto, cuyo papel no es otro, por el momento, que retraer esa atención de todo lo demás y hacer posible el vacío de la mente.

Porque no es la «morada» más recóndita, ni la altura mayor de la vía extática, aquella en que el místico, desatendiendo toda otra cosa, mira sólo a Dios. Ese Dios a quien cabe mirar no es verdaderamente Dios. El Dios que tiene límites y figura, el Dios que es pensado mediante este o el otro atributo, en suma, el Dios capaz de ser un objeto para la atención, se parece, como tal, demasiado a las cosas del intramundo para ser el auténtico Dios. De aquí la doctrina que una y otra vez se adelanta a nosotros desde las páginas místicas con paradójico perfil, para asegurarnos que lo sumo es no pensar «ni» en Dios. La razón de ello es clara: a fuerza de pensar en El, de puro estar absorto en El, llega un momento en que deja de ser algo externo a la mente y distinto de ella, puesto fuera y ante el sujeto. Es decir, que deja de ser *objectum* y se convierte en *injectum*[1]. Dios se filtra dentro del alma se confunde con ella, o, dicho inversamente, el alma se diluye en Dios, deja de sentirlo como ser diferente de ella. Esta es la *unión* a que el místico aspira. «Queda el alma, digo el espíritu de este alma, hecho una cosa con Dios», comunica Santa Teresa en la «Morada séptima». Pero no se crea que esta unión es sentida como algo momentáneo, ahora lograda, luego perdida. El extático la percibe

---

[1] Véase Otto: *West-östliche Mystik.*

con el carácter de unión definitiva y perenne, como el enamorado jura sinceramente amor eterno. Santa Teresa distingue enérgicamente entre ambas suertes de transfusión: la una es «como si dos velas de cera se juntasen tan en extremo, que toda la luz fuese una... Mas después bien se puede apartar la una vela de la otra y quedan en dos velas». La otra, empero, es «como si cayendo agua del cielo en un río o fuente adonde queda hecho todo agua, que no podrán ya dividir ni apartar cuál es el agua del río, o la que cayó del cielo, ú como si un arroyico pequeño entra en el mar, no habrá remedio de apartarse; ú como si en una pieza estuviesen dos ventanas por donde entrase gran luz, aunque entra dividida, se hace todo una luz.»

Eckhart razona muy bien la relativa inferioridad de todo estado en que Dios sea aún objeto de la mente. «El verdadero tener a Dios está en el ánimo, no en pensar en Dios uniforme y continuamente. El hombre no debe tener sólo un Dios pensado, porque cuando el pensamiento cesa, cesaría también Dios.» Por tanto, el grado supremo de la mística carrera será aquel en que el hombre se halle saturado de Dios, hecho esponja de la divinidad. Entonces puede volverse de nuevo al mundo y ocuparse en afanes terrenos, porque ya obrará en rigor como un autómata de Dios. Sus deseos, pasos y acciones en el mundo no serán cosa suya. Ya no le importa nada a él de cuanto haga y le acontezca, porque «él» está ausente de la Tierra, ausente de su propio deseo o acción, inmunizado o impermeabilizado para todo lo sensible. Su verdadera persona ha emigrado a Dios, se ha transvasado en Dios, y queda sólo un muñeco mecánico, una «criatura», que Dios hace funcionar. (El misticismo en su cima toca siempre al «quietismo».)

Esta situación superlativa encuentra su pareja en la evolución del «enamoramiento». Cuando el otro corresponde, sobreviene un período de «unión» transfusiva, en que cada cual traslada al otro las raíces de su ser y vive —piensa, desea, actúa—, no desde sí mismo, sino desde el otro. También aquí se deja de pensar en el amado, de puro tenerlo dentro. Ello se advierte, como pasa con todos los estados íntimos, en el simbolismo de la fisonomía. Al período de «fijación», de absorto exclusivo atender a la amada que aún está «fuera» de uno, corresponde el gesto de ensimismamiento y concentración. Los ojos quedan inmovilizados, la mirada rígida, la cabeza propende a inclinarse sobre el pecho, el cuerpo, si puede, se recoge. Todo el aspecto tiende a representar con la figura humana algo cóncavo y como cerrado. En el recinto hermético de nuestra atención incubamos la imagen de lo amado. Mas cuando «sobreviene» el éxtasis amatorio y la amada es nuestra, mejor, es yo y yo la amada, aparece en el semblante ese gracioso *épanouissement* en que se expresa la felicidad. Los ojos ablandan la mirada, que se hace de goma y resbala sobre todo, por supuesto, sin fijarse bien en nada: más que viendo, dignándose acariciar los objetos. Asimismo, la boca va entreabierta en universal sonrisa que chorrea incesantemente comisuras ayuso. Es el gesto del bobo —que es el del embobamiento. No habiendo objeto externo ni interno en que fijarnos, nuestra actividad se reduce a dejar que del haz de nuestra alma, como de un agua quieta («quietista»), se desprendan vapores hacia el sol absorbente.

Es el «estado de gracia» común al enamorado y al místico [1]. Esta vida y este mundo, ni en bien ni en mal les afectan; han dejado de ser cuestión para ellos. En la situación normal, por afectar lo más íntimo de nosotros, se nos convierten en problemas, nos angustian y acosan. Por eso sentimos nuestra propia existencia como un peso que sostenemos a pulso, fatigosamente. Pero si trasladamos ese núcleo íntimo a otra región y a otro ser, fuera del mundo, lo que en éste nos acontezca queda desvirtuado y sin eficacia sobre nosotros, como suspendido en un

---

[1] Como se advierte, no aludo para nada al «valor» religioso que al «estado de gracia» corresponda. Es éste aquí estrictamente el nombre de un estado psicológico propio a todos los místicos de todas las religiones.

paréntesis. Al caminar entre las cosas nos sentimos ingrávidos. Como si hubiese dos mundos de dimensiones distintas, pero compenetrables, el místico vive en el terrenal sólo en apariencia; donde verdaderamente está es en el otro, región aparte que habita él solo con Dios. *Deum et animan. Nihilne plus? Nihil omnino* —dice San Agustín. Y lo mismo el enamorado transita entre nosotros, sin que valgamos para otra cosa que para rozar la periferia de su sensibilidad. El tiene, de antemano y —cree— para siempre, su vida resuelta.

En el «estado de gracia» —sea místico o sea erótico—, la vida pierde peso y acritud. Con la generosidad de un gran señor, sonríe el feliz a cuanto le rodea. Pero la generosidad del gran señor es siempre módica y no supone esfuerzo. Es una generosidad muy poco generosa; en rigor, originada en desdén. El que se cree de una naturaleza superior acaricia «generosamente» los seres de orden inferior que no le pueden nunca hacer daño, por la sencilla razón de que «no se trata» con ellos, no convive con ellos. El colmo del desdén consiste en no dignarnos descubrir los defectos del prójimo, sino, desde nuestra altura inaccesible, proyectar sobre ellos la luz favorable de nuestro bienestar. Así, para el místico y el amante correspondido, todo es bonito y gracioso. Es que al volver, tras su etapa de absorción, a mirar las cosas, las ve, no en ellas mismas, sino reflejadas en lo único que para él existe: Dios o lo amado. Y lo que les falta de gracia lo añade espléndido el espejo donde las contempla. Así Eckhart: el que ha renunciado a las cosas, las vuelve a recibir en Dios, como el que se vuelve de espaldas al paisaje lo encuentra reflejado, incorpóreo, en la tersa y prestigiosa superficie del lago. O bien los versos famosos de nuestro San Juan de la Cruz:

> Mil gracias derramando,
> pasó por estos sotos con presura,
> y yéndolos mirando
> con sola su figura
> vestidos los dejó de su hermosura.

El místico, esponja de Dios, se oprime un poco contra las cosas: entonces Dios, líquido, rezuma y las barniza. Tal el amante.

Pero sería caer en engaño agradecer al místico o enamorado esta «generosidad». Aplauden a los seres por lo mismo que en el fondo les traen sin cuidado. Van a lo suyo, de tránsito. En rigor, les fastidian un poco si les retienen demasiado, como al gran señor las atenciones de los «villanos». Por eso es deliciosa la expresión de San Juan de la Cruz cuando dice:

Apártalos, amado,
que voy de vuelo.

El deleite del «estado de gracia», dondequiera que se presente, estriba, pues, en que uno está fuera del mundo y fuera de sí. Esto es, literalmente, lo que significa «extasis»: estar fuera de sí y del mundo. Y conviene advertir aquí que hay dos tipos irreductibles de hombres: los que sienten la felicidad como un estar fuera de sí, y los que, por el contrario, sólo se sienten en plenitud cuando están sobre sí. Desde el aguardiente hasta el trance místico, son variadísimos los medios que existen para salir fuera de sí. Como son muchos —desde la ducha hasta la filosofía— los que producen el estar sobre sí. Estas dos clases de hombres se separan en todos los planos de la vida. Así hay los partidarios del arte extático, para quienes gozar de la belleza es «emocionarse». Otros, en cambio, juzgan forzoso para el verdadero goce artístico la conservación de la serenidad, que permite una fría y clara contemplación del objeto mismo.

Baudelaire hacía una declaración de extático cuando, a la pregunta sobre dónde preferiría vivir, respondió: «En cualquiera parte, en cualquiera parte..., ¡con tal que sea fuera del mundo!»

El afán de «salir fuera de sí» ha creado todas las formas de lo orgiástico: embriaguez, misticismo, enamoramiento, etcétera. Yo no digo con ello que todas «valgan» lo mismo; únicamente insinúo que pertenecen a un mismo linaje y tienen una raíz calando en la orgía. Se trata de descansar del peso que es vivir sobre sí, trasladándonos a otro que nos sostenga y conduzca. Por eso no es tampoco un azar el uso coincidente en mística y amor de la imagen del rapto o arrebato. Ser arrebatado es no caminar sobre los propios pies, sino sentirse llevado por alguien o algo. Rapto fue la primitiva forma del amor conservada en la mitología bajo la especie del centauro cazador de las ninfas que asienta en sus ancas.

Todavía en el ritual del matrimonio romano queda un residuo del arrebato originario: la esposa no ingresa en la casa matrimonial por su propio pie, sino que el esposo la toma en vilo para que no pise el umbral. Ultima sublimación simbólica de éste es el «trance» y levitación de la monja mística y el deliquio de los enamorados.

Pero este sorprendente paralelismo entre éxtasis y «amor» cobra más grave cariz cuando comparamos ambas cosas con otro estado anómalo de la persona: el hipnotismo.

Cien veces se ha hecho notar que el misticismo se parece a la hipnosis superlativamente. En uno y otra hay trance, alucinaciones y hasta efectos corporales idénticos, como insensibilidad y catalepsia.

Por otra parte, yo recelaba siempre una proximidad extraña entre hipnotismo y enamoramiento. No me había atrevido nunca a formular este pensamiento, porque la razón de él se hallaba, a mis ojos, en que también el hipnotismo me parece un fenómeno de la atención. Sin embargo, nadie, que yo sepa, ha estudiado la hipnosis desde este punto de vista, no obstante hallarse tan a la mano el hecho de que el sueño depende, por el lado psíquico, del estado atencional. Hace muchos años hacía notar Claparède que conciliamos el sueño en la medida en que logramos desinteresarnos de las cosas, anular nuestra atención. Toda la técnica facilitadora del sueño estriba en que recojamos nuestra atención sobre algún objeto o actividad mecánica, por ejemplo, contar. Diríase que el sueño normal, como el éxtasis, son autohipnosis.

Pero he aquí que uno de los psiquiatras más inteligentes de esta hora, Pablo Schilder, ha creído inevitable admitir un estrecho parentesco entre el hipnotismo y el amor [1]. Procuraré resumir sus ideas, ya que, inspiradas en razones muy distantes de las mías, vienen a cerrar el ciclo de coincidencias que este ensayo ha apuntado entre enamoramiento, éxtasis e hipnosis.

XI

He aquí una primera serie de coincidencias entre enamoramiento e hipnotismo:

Los manejos que facilitan el ingreso en la hipnosis tienen un valor erótico: los suaves pases de mano como caricias; el hablar sugestivo y a la par tranquilizador; la «mirada fascinante»; a veces, cierta violencia imperativa de ademán y de voz. Cuando son hipnotizadas mujeres es frecuente que, en el momento de dormirse o en el que sigue al despertar, el hipnotizador reciba esa mirada quebrada, tan característica de la excitación o satisfacción sexuales. A menudo, el hipnotizado declara que durante el trance ha experimentado una deliciosa impresión de calor, de bienestar en todo su cuerpo. No es raro que perciba sensaciones resueltamente sexuales. La excitación erótica va dirigida al hipnotizador, que en ocasiones es paladinamente objeto de solicitación amorosa. Y, a a veces, las fantasías eróticas de la hipnotizada se condensan en falsos recuerdos y acusa al hipnotizador de haber abusado de ella.

El hipnotismo animal proporciona datos afines. En la horrible especie de arañas llamadas *galeodes kaspicus turkestanus,* la hembra procura devorar a los machos que

---

[1] *Ueber das Wesen der Hypnose.* Berlin, 1922.

la cortejan. Sólo cuando el macho acierta a agarrar con sus pinzas el vientre de la hembra por un punto determinado, deja ésta, en plena pasividad, que sea ejecutado el acto sexual. La operación de paralizar a la hembra se puede repetir en el laboratorio, sin más que tocar en ese lugar al bicho. Este cae al punto en un estado hipnótico. Pero es notable el hecho de que sólo se obtiene tal resultado en época de celo.

Tras estas observaciones, Schilder concluye: «Todo ello hace sospechar que la hipnosis humana sea también una función biológica auxiliar de la sexual.» Y luego pone proa hacia el sempiterno *freudismo,* con lo cual renuncia a toda clara interpretación de las relaciones entre hipnosis y «amor».

Mayor provecho podemos sacar de las notas con que caracteriza el estado psíquico del hipnotizado. Según Schilder, se trata de la recaída en un estado pueril de la conciencia: la persona se siente con deleite entregada por completo a otro ser y descansando en su autoridad. Sin esta relación con el hipnotizador, su influjo sería imposible. De aquí que cuanto contribuye a acentuar esa altitud de autoridad en el hipnotizador —fama, posición social, aspecto digno— facilita su trabajo. Por otra parte, la hipnosis no puede efectuarse en el ser humano si no es querida.

Nótese que todos estos atributos pueden, sin reserva, transferirse al enamoramiento. También éste —ya lo observamos— es siempre «querido» e implica un deseo de entregarse y descansar en el otro ser, deseo que es ya de suyo delicioso. En cuanto a la recaída en un estado mental de relativa infantilidad, significa lo mismo que he llamado «angostamiento del espíritu», contracción y empobrecimiento del campo atencional.

Es incomprensible que Schilder no aluda siquiera al mecanismo de la atención como al más obvio factor de la hipnosis, siendo así que la técnica hipnótica consiste principalmente en un retraimiento del atender sobre un objeto: un espejo, una punta de diamante, una luz, etc.

Por otra parte, una comparación entre los diferentes tipos de personalidad, en orden a su capacidad de hipnosis, muestra máxima coincidencia con la escala que de esos mismos tipos formaríamos en orden a su aptitud para enamorarse.

Así, la mujer es mejor sujeto hipnótico que el hombre —*ceteris paribus*—. Pero es el caso que es también más dócil a un auténtico enamoramiento que el varón. Y, cualesquiera sean las demás causas para explicar esta propensión, no es dudoso que influye sobremanera la diferente estructura atencional de las almas en ambos sexos. En igualdad de condiciones, la psique femenina está más cerca de un posible angostamiento que la masculina: por la sencilla razón de que la mujer tiene un alma más concéntrica, más reunida consigo misma, más elástica. Según notábamos, la función encargada de dar a la mente su arquitectura y articulación es la atención. Un alma muy unificada supone un régimen muy unitario del atender. Diríase que el alma femenina tiende a vivir con un único eje atencional, que en cada época de su vida está puesta a una sola cosa. Para hipnotizarla o enamorarla basta con captar ese radio único de su atender. Frente a la estructura concéntrica del alma femenina hay siempre epicentros en la psique del hombre. Cuanto más varón se sea en un sentido espiritual, más dislocada se tiene el alma y como dividida en compartimentos estancos. Una parte de nosotros está radicalmente adscrita a la política o a los negocios, mientras otra vaca a la curiosidad intelectual y otra al placer sexual. Falta, pues, la tendencia a una gravitación unitaria del atender. En rigor, predomina la contraria, que lleva a la disociación. El eje atencional es múltiple. Habituados a vivir sobre esta múltiple base y con una pluralidad de campos mentales, que tienen precaria conexión entre sí, no se hace nada con conquistarnos la atención en uno de ellos, ya que seguimos libres e intactos en los demás.

La mujer enamorada suele desesperarse porque le parece no tener nunca delante en su integridad al hombre que ama. Siempre le encuentra un poco distraído, como si al acudir a la cita se hubiese dejado dispersas por el mundo provincias de su alma. Y, viceversa, al hombre sensible le ha avergonzado más de una vez sentirse incapaz del radicalismo en la entrega, de la totalidad de presencia que pone en el amor la mujer. Por esta razón, el hombre se sabe siempre torpe en amor e inepto para la perfección que la mujer logra dar a este sentimiento.

Según esto, un mismo principio aclararía la tendencia de la mujer al misticismo, a la hipnosis y al enamoramiento.

Si ahora tornamos al estudio de Schilder, vemos que a la hermandad entre amor y misticismo añade una curiosa e importante nota de tipo somático.

El sueño hipnótico no es, en última instancia, diferente del sueño normal. De aquí que el sujeto dormilón sea un excelente hipnótico. Pues bien: parece existir una estrecha relación entre la función de dormir y un lugar de la corteza cerebral titulado el tercer ventrículo. Los disturbios en el sueño, la encefalitis letárgica coinciden con alteraciones de ese órgano. Schilder cree hallar en él la base somática del hipnotismo. Pero, a la vez, el tercer ventrículo es un «nodo orgánico para la sexualidad», del cual provienen no pocas perturbaciones sexuales.

Mi fe en las localizaciones cerebrales es bastante módica. No cuesta trabajo creer que si a un hombre le cortan de raíz la cabeza dejará de pensar y de sentir. Pero esta magnífica evidencia empieza a desvanecerse progresivamente cuando intentamos precisar y a cada función psíquica buscamos su alojamiento nervioso. Las razones para este fracaso son innumerables, pero la más próxima consiste en que ignoramos la trabazón real de las funciones psíquicas, el orden y jerarquía en que trabajan. Nos es fácil aislar descriptivamente una función y hablar de «ver» u «oír», de «imaginar», de «recordar», de «pensamiento», de «atención», etc.; pero no sabemos si en el «ver» interviene ya el «pensamiento», o al revés. No es fácil que acertemos a localizar por separado funciones cuya separación no nos consta.

Este escepticismo, sin embargo, debe incitar a una investigación progresiva, cada vez más rigorosa. Así, en el caso presente, convendría tantear si la facultad de atender tiene alguna resonancia directa o refleja en ese trozo de la corteza cerebral, puesto, según Schilder, al servicio conjunto del sueño, la hipnosis y el amor. El parentesco estrecho que este ensayo insinúa entre esos tres estados y el éxtasis hace sospechar que el tercer ventrículo colabora también en el trance místico. Esto explicaría últimamente la universal persistencia del vocabulario erótico en las confesiones extáticas y del vocabulario místico en las escenas amatorias.

Recientemente, en su conferencia de Madrid, rechazaba el psiquiatra Allers todo intento de considerar el misticismo como un derivado y sublimación del amor sexual. La actitud me parece muy justa.

Las teorías sexuales del misticismo antaño acostumbradas eran atrozmente triviales. Pero la cuestión es ahora distinta. No se trata de que el misticismo proceda del «amor», sino de que uno y otro poseen raíces comunes y significan dos estados mentales de organización análoga. En uno y otro, la conciencia adopta una forma casi idéntica, que provoca una misma resonancia emotiva, para manifestar la cual sirven, indiferentemente, las fórmulas místicas y las eróticas.

Al terminar este ensayo me importa recordar que he intentado en él exclusivamente describir un solo estadio del gran proceso amoroso: el «enamoramiento». El amor es operación mucho más amplia y profunda, más seriamente humana, pero menos violenta. Todo amor transita por la zona frenética del «enamoramiento»; pero, en cambio, existe «enamoramiento» al cual no sigue auténtico amor. No confundamos, pues, la parte con el todo.

Es frecuente que se mida la calidad del amor por su violencia. Contra este error habitual han sido escritas las páginas precedentes. La violencia no tiene nada que ver con el amor en cuanto tal. Es un atributo del «enamoramiento», de un estado mental inferior, casi mecánico, que puede producirse sin efectiva intervención del amor.

Hay un defecto de violencia que procede, acaso, de insuficiente energía en la persona. Pero, hecha esta salvedad, es forzoso decir que cuanto más violento sea un acto psíquico, más bajo está en la jerarquía del alma, más próximo al ciego mecanismo corporal, más distante del espíritu. Y, viceversa, conforme nuestros sentimientos van tiñéndose más de espiritualidad, van perdiendo violencia y fuerza mecánica. Siempre será más violenta la sensación de hambre en el hambriento que el apetito de justicia en el justo*.

* [Esta serie de nueve artículos apareció en el diario *El Sol,* los días 22 y 24 de agosto; 7, 13, 19 y 24 de octubre; 7 y 23 de noviembre, y 9 de diciembre de 1926.]

LA ELECCION EN AMOR

I

[REVELACION DE LA CUENCA LATENTE]

En una conferencia reciente me ha ocurrido insinuar, entre otras, dos ideas, de las cuales la segunda va articulada en la primera[1]. Esta suena así: el fondo decisivo de nuestra individualidad no está tejido con nuestras opiniones y experiencias de la vida; no consiste en nuestro temperamento, sino en algo más sutil, más etéreo y previo a todo esto. Somos, antes que otra cosa, un sistema nato de preferencias y desdenes. Más o menos coincidente con el del prójimo, cada cual lleva dentro el suyo, armado y pronto a dispararnos en *pro* o en *contra,* como una batería de simpatías y repulsiones. El corazón, máquina de preferir y desdeñar, es el soporte de nuestra personalidad. Antes de que conozcamos lo que nos rodea vamos lanza-

[1] [La conferencia aludida se dio, bajo el título de «Estudios sobre el corazón», en la Residencia de Estudiantes madrileña, el día 15 de junio de 1927. Véase el ensayo «Corazón y cabeza» en el volumen *Ideas y creencias,* publicado en esta Colección.]

dos por él, en una u otra dirección, hacia unos u otros valores. Somos, merced a esto, muy perspicaces para las cosas en que están realizados los valores que preferimos, y ciegos para aquellas en que residen otros valores iguales o superiores, pero extraños a nuestra sensibilidad.

A esta idea, sustentada hoy con vigorosas razones por todo un grupo de filósofos, agrego una segunda, que no he visto hasta ahora apuntada.

Se comprende que en nuestra convivencia con el prójimo nada nos interesa tanto como averiguar su paisaje de valores, su sistema de preferir, que es raíz última de su persona y cimiento de su carácter. Asimismo, el historiador que quiera entender una época necesita, ante todo, fijar la tabla de valores dominantes en los hombres de aquel tiempo. De otro modo, los hechos y dichos de aquella edad que los documentos le notifican serán letra muerta, enigma y charada, como lo son los actos y palabras de nuestro prójimo mientras no hemos penetrado más allá de ellos y hemos entrevisto a qué valores en su secreto fondo sirven. Ese fondo, ese núcleo del corazón, es, en efecto, secreto: lo es en buena parte para nosotros mismos, que lo llevamos dentro —mejor dicho, que somos llevados por él. Actúa en la penumbra subterránea, en los sótanos de la personalidad, y nos es tan difícil percibirlo como nos es difícil ver el palmo de tierra sobre que pisan nuestros pies. Tampoco la pupila se puede contemplar a sí misma. Pero, además, una buena porción de nuestra vida consiste en la mejor intencionada comedia que a nosotros mismos nos hacemos. Fingimos modos de ser que no son el nuestro, y los fingimos sinceramente, no para engañar a los demás, sino para maquillarnos ante nuestra propia mirada. Actores de nosotros mismos, hablamos y operamos movidos por influencias superficiales que el contorno social o nuestra voluntad ejercen sobre nuestro organismo y momentáneamente suplantan nuestra vida auténtica. Si el lector dedica un rato a analizarse, descubrirá con sorpresa —tal vez con espanto— que gran parte de «sus» opiniones y

sentimientos no son suyos, no han brotado espontáneamente de su propio fondo personal, sino que son bien
mostrenco, caído del contorno social dentro de su cuenca
íntima, como cae sobre el transeúnte el polvo del camino.

No son, pues, actos y palabras el dato mejor para
sorprender el secreto cordial del prójimo. Unos y otros
se hallan en nuestra mano y podemos fingirlos. El malvado que a fuerza de crímenes ha henchido su fortuna puede
un buen día ejecutar un acto benéfico, sin dejar por eso
de ser un malvado. Más que en actos y en palabras,
conviene fijarse en lo que parece menos inportante: el
gesto y la fisonomía. Por lo mismo que son impremedita-
dos, dejan escapar noticias del secreto profundo y normalmente lo reflejan con exactitud[1].

Pero hay situaciones, instantes de la vida, en que, sin
advertirlo, confiesa el ser humano grandes porciones de
su decisiva intimidad, de lo que auténticamente es. Una
de estas situaciones es el amor. En la elección de amada
revela su fondo esencial el varón; en la elección de
amado, la mujer. El tipo de humanidad que en el otro ser
preferimos dibuja el perfil de nuestro corazón. Es el
amor un ímpetu que emerge de lo más subterráneo de
nuestra persona, y al llegar al haz visible de la vida
arrastra en aluvión algas y conchas del abismo interior.
Un buen naturalista, filiando estos materiales, puede
reconstruir el fondo pelágico de que han sido arrancados.

Se querrá oponer a esto la presunta experiencia de que
a menudo una mujer que consideramos de egregio carácter fija su entusiasmo en un hombre torpe y vulgar. Pero
yo sospecho que los que así juzgan padecen casi siempre
una ilusión óptica: hablan un poco desde lejos y el amor
es un cendal de finísima trama, que sólo se ve bien desde
muy cerca. En muchos casos, el tal entusiasmo es sólo

[1] Las razones que explican este poder revelador que tienen los
gestos, la fisonomía, la escritura, el modo de vestirse, pueden verse en
el ensayo «Sobre la expresión, fenómeno cósmico», *El Espectador*,
VII.

aparente: en realidad no existe. El amor auténtico y el falso se comportan —vistos desde lejos— con ademanes semejantes. Pero supongamos un caso en que el entusiasmo sea efectivo: ¿qué debemos pensar? Una de dos: o que el hombre no es tan menospreciable como creemos, o que la mujer no era, efectivamente, de tan selecta condición como la imaginábamos.

En conversaciones y en cursos universitarios (con ocasión de determinar qué es lo que llamamos «carácter») he expuesto reiteradamente este pensamiento y he podido observar que provoca con cierto automatismo un primer movimiento de protesta y resistencia. Como en sí misma la idea no contiene ingrediente alguno irritante o ácido —¿por qué, en tesis general, no había de halagarnos que nuestros amores sean la manifestación de nuestro ser recóndito?—, esa automática resistencia equivale a una comprobación de su verdad. El individuo se siente cogido de sorpresa y en descubierto por una brecha que no había resguardado. Siempre nos enoja que alguien nos juzgue por aquella faceta de nuestra persona que presentamos al descubierto. Nos toman desprevenidos, y esto nos irrita. Quisiéramos ser juzgados previo aviso y por las actitudes que dependen de nuestra voluntad, a fin de poder componerlas como ante el fotógrafo. (Terror de la «instantánea».) Pero claro es que, desde el punto de vista del investigador del corazón humano, lo interesante es entrar en el prójimo por donde menos presuma y sorprenderlo *in fraganti*.

Si la voluntad del hombre pudiese suplantar por completo su espontaneidad, no habría para qué bucear en los fondos arcanos de su persona. Pero la voluntad sólo puede suspender algunos momentos el vigor de lo espontáneo. A lo largo de toda una vida, la intervención del albedrío contra el carácter es prácticamente nula. Nuestro ser tolera cierta dosis de falsificación por medio de la voluntad; dentro de esa medida, mejor que de falsificación, es lícito hablar de que nos completamos y perfeccionamos. Es el golpe de pulgar que el espíritu —inteligencia y voluntad—da a nuestro barro primigenio. Sea mantenida en todo honor esta divina intervención de la potencia espiritual. Mas para ello es preciso moderar ilusiones y no creer que este influjo maravilloso puede pasar de aquella dosis. Más allá de ella empieza la efectiva falsificación. Un hombre que toda su vida marcha en contra de su nativa inclinación es que nativamente está inclinado a la falsedad. Hay quien es sinceramente hipócrita o naturalmente afectado.

Cuanto más va penetrando la actual psicología en el mecanismo del ser humano, más evidente aparece que el oficio de la voluntad, y en general el del espíritu, no es creador, sino meramente corrector. La voluntad no mueve, sino que suspende este o el otro ímpetu prevoluntario que asciende vegetativamente de nuestro subsuelo anímico. Su intervención es, pues, negativa. Si a veces parece lo contrario, es por la razón siguiente: constantemente acaece que en el intrincamiento de nuestras inclinaciones, apetitos, deseos, uno de ellos actúa como un freno sobre otro. La voluntad, al suspender ese refrenamiento, permite a la inclinación, antes trabada, que fluya y se estire plenamente. Entonces parece que nuestro «querer» tiene un poder activo, cuando, en rigor, lo único que ha hecho es levantar las esclusas que contenían aquel ímpetu preexistente.

El sumo error, desde el Renacimiento hasta nuestros días, fue creer —con Descartes— que vivimos de nuestra conciencia, de aquella breve porción de nuestro ser que vemos claramente y en que nuestra voluntad opera. Decir que el hombre es racional y libre me parece una expresión muy próxima a ser falsa. Porque, en efecto, poseemos razón y libertad, pero ambas potencias forman sólo una tenue película que envuelve el volumen de nuestro ser, cuyo interior ni es racional ni es libre. Las ideas mismas de que la razón se compone nos llegan hechas y listas de un fondo oscuro, enorme, que está situado debajo de nuestra conciencia. Parejamente, los deseos se presentan en el escenario de nuestra mente clara como actores que vienen ya vestidos y recitando su papel, de entre los misteriosos, tenebrosos bastidores. Y como sería falso decir que un teatro es la pieza que se representa en su iluminado escenario, me parece, por lo menos, inexacto decir que el hombre vive de su conciencia, de su espíritu. La verdad es que, salvo esa somera intervención de nuestra voluntad, vivimos de una vida irracional que desemboca en la conciencia, oriunda de la cuenca latente, del fondo invisible que en rigor somos. Por eso el psicólogo tiene que transformarse en buzo y sumergirse bajo la superficie de las palabras, de los actos, de los pensamientos del prójimo, que son mero escenario. Lo importante está detrás de todo eso. Al espectador le basta con ver a Hamlet, que arrastra su neurastenia por el jardín ficticio. El psicólogo le espera cuando sale por el foro y quiere conocer, en la penumbra de telones y cordajes, quién es el actor que hace de Hamlet.

Es natural, pues, que busque los escotillones y rendijas por donde deslizarse a lo profundo de la persona. Uno de estos escotillones es el amor. Vanamente la dama que pretende ser tenida por exquisita se esfuerza en engañarnos. Hemos visto que amaba a Fulano. Fulano es torpe, indelicado, sólo atento a la perfección de su corbata y al lustre de su «Rolls»...

II

[AL MICROSCOPIO]

Contra esta idea de que en la elección amorosa revelamos nuestro más auténtico fondo caben innumerables objeciones. Es posible que entre ellas existan algunas suficientes para dar al traste con la verosimilitud del aserto. Sin embargo, las que de hecho suelen salir al paso me parecen inoperantes, poco rigorosas, improvisadas por un juicio sin cautelas. Se olvida que la psicología del erotismo sólo puede proceder microscópicamente. Cuanto más íntimo sea el tema psicológico de que se trate, mayor será la influencia del detalle. Ahora bien: el menester amoroso es uno de los más íntimos. Probablemente, no hay más que otra cosa aún más íntima que el amor: la que pudiera llamarse «sentimiento metafísico», o sea, *la impresión radical,* última, básica que tenemos *del Universo.*

Sirve ésta de fondo y soporte al resto de nuestras actividades, cualesquiera que ellas sean. Nadie vive sin ella, aunque no todos la tienen dentro de sí subrayada con la misma claridad. Contiene nuestra actitud primaria y decisiva ante la realidad total, el sabor que el mundo y la vida tienen para nosotros. El resto de nuestros sentires, pensares, quereres se mueve ya sobre esa actitud primaria y va montado en ella, coloreado por ella. Precisamente, el cariz de nuestros amores es uno de los síntomas más próximos de esa primigenia sensación. Por medio de él nos es dado sospechar a qué o en qué tiene puesta su vida el prójimo. Y esto es lo que interesa más averiguar: no anécdotas de su existencia, sino la carta a que juega su vida. Todos nos damos alguna cuenta de que en zonas de nuestro ser más profundas que aquellas donde la voluntad actúa está ya decidido a qué tipo de vida quedamos adscritos. Vano es el ir y venir de experiencias y razonamientos: nuestro corazón, con terquedad de astro, se siente adscrito a una órbita predeterminada y girará por su propia gravitación hacia el arte o la ambición política o el placer sexual o el dinero. Muchas veces, la existencia aparente del individuo va al redropelo de su destino íntimo, dando ocasión a sorprendentes disfraces: el hombre de negocios que oculta a un sensual, o el escritor que es en verdad sólo un ambicioso de poder político.

Al hombre normal le «gustan» casi todas la mujeres que pasan cerca de él. Esto permite destacar más el carácter de profunda elección que posee el amor. Basta para ello con no confundir el gusto y el amor. La buena moza transeúnte produce una irritación en la periferia de la sensibilidad varonil, mucho más impresionable —sea dicho en su honor— que la de la mujer. Esta irritación provoca automáticamente un primer movimento de ir hacia ella. Tan automática, tan mecánica es esta reacción, que ni siquiera la Iglesia se atreve a considerarla como figura de pecado. La Iglesia ha sido en otro tiempo excelente psicóloga y es una pena que se haya quedado retrasada en los dos últimos siglos. Ello es que, clarividente, reconocía la inocencia de todos los «primeros movimientos». Así, éste de sentirse el varón atraído, arrastrado hacia la mujer que taconea delante de él. Sin ello no habría nada de lo demás —ni lo malo ni lo bueno, ni el vicio ni la virtud. Sin embargo, la expresión «primer movimiento» no dice todo lo que debiera. Es «primero» porque parte de la periferia misma donde se ha recibido la incitación, sin que en él tome parte lo interno de la persona.

Y, en efecto, a esa atracción que casi toda mujer ejerce sobre el hombre y que viene a ser como la llamada que el instinto hace al centro profundo de nuestra personalidad, no suele seguir respuesta, o sigue sólo respuesta negativa. La habría positiva cuando de ese centro personalísimo brotase un sentimiento de adscripción a lo que acaba de atraer nuestra periferia. Tal sentimiento, cuando surge, liga el centro o eje de nuestra alma a aquella sensación externa; o dicho de otro modo: no sólo somos atraídos en nuestra periferia, sino que vamos por nuestro pie hacia esa atracción, ponemos en ella nuestro ser todo. En suma: no sólo somos atraídos, sino que nos interesamos. Lo uno se diferencia de lo otro como el ser arrastrado del ir uno por sí mismo.

Este interés es el amor, que actúa sobre las innumerables atracciones sentidas, eliminando la mayor parte y fijándose sólo en alguna. Produce, pues, una selección sobre el área amplísima del instinto, cuyo papel queda así reconocido y a la vez limitado[1]. Nada es más necesario, para esclarecer un poco los hechos del amor, que definir con algún rigor la intervención en ellos del instinto sexual. Si es una tontería decir que el verdadero amor del hombre a la mujer, y viceversa, no tiene nada de sexual, es otra tontería creer que amor es sexualidad. Entre otros muchos rasgos que los diferencian, hay éste, fundamental, de que el instinto tiende a ampliar indefinidamente el número de objetos que lo satisfacen, al paso que el amor tiende al exclusivismo. Esta oposición de tendencias se manifiesta claramente en el hecho de que nada inmunice tanto al varón para otras atracciones sexuales como el amoroso entusiasmo por una determinada mujer.

Es, pues, el amor, por su misma esencia, elección. Y como brota del centro personal, de la profundidad anímica, los principios selectivos que la deciden son a la vez las preferencias más íntimas y arcanas que forman nuestro carácter individual.

He indicado que el amor vive del detalle y procede microscópicamente. El instinto, en cambio, es macroscópico, se dispara ante los conjuntos. Diríase que actúan ambos desde dos distancias diferentes. La belleza que atrae, rara vez coincide con la belleza que enamora. Si el indiferente y el enamorado pudiesen comparar lo que para ambos constituye la belleza, el encanto de una y misma mujer, se sorprenderían de su incongruencia. El indiferente encontrará la belleza en las grandes líneas del rostro y de la figura —lo que, en efecto, suele llamarse belleza. Para el enamorado no existen, se han borrado ya esas grandes líneas, arquitectura de la persona amada que se percibe desde lejos. Si es sincero, llamará belleza a menudos rasgos sueltos, distantes entre sí: el color de la pupila, la comisura de los labios, el timbre de la voz...

Cuando analiza su sentimiento y percibe la trayectoria

---

[1] Que el instinto sexual es ya de por sí selectivo fue una de las grandes ideas de Darwin. El amor sería una segunda potencia de selección mucho más rigorosa.

de esto que va desde su interior al ser querido, nota que el hilo del amor va a anudarse en esas menudas facciones y de ellas se nutre en todo instante. Porque, no hay duda, el amor se alimenta continuamente, se embebe de causa y razón de amar contemplando real o imaginariamente las gracias de lo amado. Vive en forma de incesante confirmación. (El amor es monótono, insistente, pesadísimo; no soportaría nadie que se le repitiese muchas veces la frase más ingeniosa, y, en cambio, exige la reiteración innumerable de que el ser amado le ama. Viceversa: cuando alguien no ama, el amor que le es dedicado le desespera, le atosiga por su extremada pesadumbre.)

Es importante acentuar este papel que los detalles de la fisonomía y del gesto juegan en el amor, porque son el elemento más expresivo donde se revela el ser auténtico de la persona que, al través de ellos, preferimos. La otra belleza que se percibe a distancia, sin dejar de poseer significado expresivo y exteriorizar un modo de ser, tiene un valor estético independiente, un encanto plástico objetivo a que alude el nombre de belleza. Y sería, me parece, un error creer que es esta belleza plástica la que fija el entusiasmo. Siempre he visto que de las mujeres plásticamente más bellas se enamoraban poco los hombres. En toda sociedad existen algunas «bellezas oficiales» que en teatros y fiestas la gente señala con el dedo, como monumentos públicos; pues bien: casi nunca va a ellas el fervor privado de los varones. Esa belleza es tan resueltamente estética, que convierte a la mujer en objeto artístico y con ello la distancia y aleja. Se la admira —sentimiento que implica lejanía—, pero no se la ama. El deseo de proximidad, que es la avanzada del amor, se hace, desde luego, imposible.

La gracia expresiva de un cierto modo de ser, no la corrección o perfección plásticas es, a mi juicio, el objeto que eficazmente provoca el amor. Y viceversa: cuando en vez de un amor verdadero se encuentra el sujeto lanzado a un embalamiento falso —por amor propio, por curiosidad, por obcecación—, la sorda incompatibilidad que en el fondo siente con ciertos detalles de la otra persona es el anuncio de que no ama. En cambio, la incorrección o imperfección del semblante desde el punto de vista de la belleza pura, si no son monstruosas no estorban al amor.

Con la idea de belleza, como con una losa de espléndido mármol, se ha aplastado toda posible delicadeza y jugosidad en la psicología del amor. Con decir que el hombre se enamora de la mujer que le parece guapa se cree haberlo dicho todo, cuando, en rigor, no se ha dicho nada. El error procede de la herencia platónica. (Es incalculable hasta qué estratos de la humanidad occidental han penetrado elementos de la antigua filosofía. El hombre más inculto usa vocablos y conceptos de Platón, de Aristóteles, de los estoicos.)

Fue Platón quien conectó para siempre amor y belleza. Sólo que para él la belleza no significaba propiamente la perfección de un cuerpo, sino que era el nombre de toda perfección, la forma, por decirlo así, en que a los ojos griegos se presentaba todo lo valioso. Belleza era optimidad. Esta peculiaridad de vocabulario ha descarriado la meditación posterior sobre el erotismo.

Amar es algo más grave y significativo que entusiasmarse con las líneas de una cara y el color de una mejilla; es decidirse por un cierto tipo de humanidad que simbólicamente va anunciado en los detalles del rostro, de la voz y del gesto.

Amor es afán de engendrar en la belleza, *tíktein en tô kalô* —decía Platón. Engendrar, creación de futuro. Belleza, vida óptima. El amor implica una íntima adhesión a cierto tipo de vida humana que nos parece el mejor y que hallamos preformado, insinuado en otro ser.

Y esto parecerá abstracto, abstruso, distante de la realidad concreta, señora mía. Sin embargo, orientado por esa abstracción, acabo de descubrir en la mirada que usted ha dirigido a X... lo que para usted es la vida. ¡Bebamos otro *cock-tail!*

III

Es lo más frecuente que el hombre ame varias veces en su vida. Esto da lugar a una porción de cuestiones teóricas, encima de las prácticas que el amador, por su cuenta, tendrá que solventar. Ejemplo: ¿es constitutiva para la índole del varón esa pluralidad sucesiva de amores, o es un defecto, un vicioso resto de primitivismo, de barbarie, que en él queda? ¿Sería lo ideal, lo perfecto y deseable el amor único? ¿Existe alguna diferencia, por lo que a esto se refiere, entre el hombre normal y la mujer normal?

Ahora vamos a evitar todo intento de contestación a tan peligrosas preguntas. Sin permitirnos opinar sobre ellas, tomamos, sin más, el hecho indiscutible de que casi siempre el varón es plural en amor. Como nos referimos a las formas plenarias de ese sentimiento, queda excluida la pluralidad de coexistencia y retenemos únicamente la de sucesión.

¿No encierra este hecho una seria dificultad para la doctrina aquí sustentada de que la elección amorosa descubre el ser radical de la persona? Tal vez; pero antes conviene refrescar en el lector la observación trivial de que esa variedad de amores puede ser de dos clases. Hay individuos que aman a lo largo de su vida varias mujeres; pero todas repiten con clara insistencia el mismo tipo de feminidad. A veces, la coincidencia llega hasta mantenerse dentro de un mismo formato físico. Esta suerte de fidelidad larvada en que al través de muchas mujeres se ama, en rigor, a una sola mujer genérica, es sobremanera frecuente y constituye la más directa prueba de la idea que sustentamos.

Pero en otros casos las mujeres sucesivamente amadas por un hombre, o los hombres preferidos por una mujer, son, en verdad, de condición muy distinta. Mirado el hecho desde aquella idea, significaría que el ser radical del hombre había variado de un tiempo a otro. ¿Es posible este cambio en la raíz misma de nuestro ser? El problema es de grueso calibre, acaso el decisivo, para una ciencia del carácter. Durante la segunda mitad del siglo XIX era sólito pensar que el carácter de la persona se iba formando de fuera a dentro. Las experiencias de la vida, los hábitos que engendran, los influjos del contorno, las vicisitudes de la suerte, los estados fisiológicos irían decantando, como un poso, eso que llamamos carácter. No habría, por tanto, un ser radical de la persona, no habría una estructura íntima previa a los sucesos de la existencia e independiente de ellos. Estaríamos hechos, como la bola de nieve, con polvo del camino mismo que vamos recorriendo. Para esta manera de pensar, que excluye un núcleo radical en la personalidad, no existe, claro es, el problema de los cambios radicales. El llamado carácter se modificaría constantemente: conforme se va haciendo, se va también deshaciendo.

Pero razones de bastante peso, que no es oportuno acumular aquí, me inclinan a la creencia opuesta, según la cual parece más exacto decir que vivimos *de dentro a* fuera. Antes de que sobrevengan las contingencias externas, nuestro personaje interior está ya en lo esencial formado, y aunque los casos de la existencia influyan algo sobre él, es mucho mayor el influjo que él ejerce sobre éstos. Solemos ser increíblemente impermeables a lo que cae sobre nosotros cuando no es afín con ese «personaje» nato que en última instancia somos. Entonces —se dirá—, no cabe hablar tampoco de cambios radicales. El que éramos al nacer seremos a la hora de morir.

No, no. Precisamente, esta opinión goza de elasticidad suficiente para amoldarse a los hechos en todo su alabeo. Ello nos permite distinguir entre las pequeñas modificaciones que los acontecimientos externos introducen en nuestro modo de ser y otros cambios más hondos que no obedecen a esos motivos de azar, sino a la índole misma del carácter. Yo diría que el carácter cambia, si por este cambio se entiende propiamente una evolución. Y esta evolución, como la de todo organismo, es provocada y dirigida por razones internas, connaturales al ser mismo, innatas como su carácter. El lector tendrá seguramente la impresión de que unas veces las transformaciones de sus prójimos le parecen frívolas, injustificadas, cuando no oriundas de lo inconfensable, pero que en otros casos la mutación posee toda la dignidad y todo el sentido de un crecimiento. Es el brote que se hace árbol, es la desnudez de hojas que precede a la foliación, es el fruto que sigue a la fronda.

Contesto, pues, a la objeción antecedente. Hay personas que no evolucionan, caracteres relativamente anquilosados (en general, los de menos vitalidad: prototipo, el «buen burgués»). Estas persistirán dentro de un invariable esquema de elección amorosa. Pero hay individuos con carácter fértil, rico de posibilidades y destinos, los cuales esperan en buen orden su hora de explosión. Casi puede afirmarse que éste es el caso normal. La personalidad experimenta en el transcurso de su vida dos o tres grandes transformaciones, que son como estadios diferentes de una misma trayectoria moral. Sin perder la solidaridad, más aún, la homogeneidad radical con nuestro sentir de ayer, cierto día advertimos que hemos ingresado en una nueva etapa o modulación de nuestro carácter. A esto llamo cambio radical. No es más, pero tampoco es menos[1]. Nuestro ser profundo parece en cada una de esas dos o tres etapas girar sobre sí mismo unos grados, desplazarse hacia otro cuadrante del Universo y orientarse hacia nuevas constelaciones.

¿No es sugestivo azar que el número de verdaderos amores por que suele pasar el hombre normal lleve casi siempre la misma cifra: dos, tres? ¿Y, además, que cada uno de esos amores aparezca cronológicamente localiza-

---

[1] El fenómeno más curioso y extremo es la «conversión», la mutación súbita, de cariz catastrófico, que a veces sufre la persona. Permítase que ahora deje intacto tan difícil tema.

do en cada una de estas etapas del carácter? No me parece, pues, exorbitante ver en la pluralidad de amores la más aguda confirmación de la doctrina insinuada aquí. Al nuevo modo de sentir la vida se ajusta rigorosamente la preferencia por un tipo distinto de mujer. Nuestro sistema de valores se ha alterado un poco o un mucho —siempre en fidelidad latente con el antiguo—; pasan a primer término calidades que antes no estimábamos, que tal vez ni siquiera percibíamos, y un nuevo esquema de selección erótica se interpone entre el hombre y las mujeres transeúntes.

Sólo una novela ofrece instrumental adecuado para dar evidencia a este pensamiento. Yo he leído trozos de una —que tal vez no se publique jamás— cuyo tema es precisamente éste: la evolución profunda de un carácter varonil vista al través de sus amores. El autor —y esto es lo interesante— insiste por igual en mostrar la continuidad del carácter a lo largo de sus cambios y el perfil divergente que éstos poseen, esclareciendo así la lógica viviente, la génesis inevitable de estas mutaciones. Y una figura de mujer recoge y concentra en cada etapa los rayos de aquella vitalidad que evoluciona, como esos fantasmas que con luces y reflectores se logra formar sobre una densa atmófera.

PARÉNTESIS

Mis ensayos, que suelen ir apareciendo segmentados, como trozos de anélido, en el periódico *El Sol,* me proporcionan grato pretexto para conocer almas de españoles y españolas que personalmente me serían distantes e ignoradas. Recibo, en efecto, con halagadora frecuencia, cartas de corroboración, o de protesta, o de disputa. Mis ocupaciones me impiden, según fuera correcto y a la par deleitable, contestar a esos gestos epistolares tan útiles, tan fértiles para un escritor. En lo sucesivo procuraré alguna vez espumar de esa correspondencia lo que parezca más fecundo y de general provecho.

Para empezar, transcribo una carta anónima que me llega de Córdoba. El que manuscribe parece persona muy discreta, salvo en guardar el anónimo:

«He leído su folletón de *El Sol* "La elección en amor", como leo cuanto de lo que usted escribe llega a mis manos, para deleitarme con sus finas y originales observaciones. Esta predisposición favorable de mi espíritu hacia su obra me da ánimos para señalarle algo que considero erróneo en su último artículo.

»Conformes en que el gesto y la fisonomía nos permiten adentrarnos, como Pedro por su casa, por el descuidado (y acaso también por el vigilante) espíritu del vecino. De tal suerte coincido con usted en este punto, que algo tengo escrito y publicado sobre ello.

»Lo que, a mi juicio, no puede sostenerse con verdad es que "en la elección de amada revele su fondo esencial el varón; en la elección de amado, la mujer", ni en que el tipo preferido dibuje el perfil de nuestro corazón.

»Hasta me atrevería a asegurar que esas *automáticas* protestas que tal afirmación suele provocar entre sus oyentes, más que el malestar inquietante de sentirse inesperadamente desnudos ante el observador, son la repugnancia, acaso no razonada, que ofrece una idea que no admitimos, que no podemos admitir, aunque todavía no sepamos el porqué de ello.

»El amor (la pasión sexual, con o sin ringorrangos líricos), sustantivo de un verbo eminentemente transitivo, es en cierto sentido el más intransitivo, el más hermético de todos, porque empieza y acaba en el sujeto, porque de su alma se alimenta y no tiene más vida que la que el mismo sujeto le da.

»Claro es que el amante, por la apetencia sexual, busca al individuo del sexo contrario, y que cada uno quiere encontrar en el otro cierta proporcionalidad física; pero nada tendría de extraño que el *egregio* carácter de una mujer fijara sus entusiasmos en un hombre vulgar, y viceversa.

»Por el amor sí puede conocerse al amante; pero no por el objeto amado. Cada persona ama con la plenitud de su espíritu, con fuerza suficiente para *poner* en el amado cuantas delicadezas y finuras necesite el alma del amante (o sea, su propia alma), como la linterna mágica o el cinematógrafo ponen en el lienzo la línea y el color que están en ellos, como Don Quijote en Aldonza Lorenzo y Nelson en lady Hamilton (la corza del paisaje de principios del siglo XIX) pusieron lo necesario para que sus almas se postraran ante esas dos mujeres.

»Y hago punto, porque ya queda en síntesis formulada la objeción, y no quiero molestarle inútilmente.»

Agradezco sobremanera la objeción, sólo que preferiría recibirlas de mayor eficacia. Ya el intento de reducir el amor a sexualidad enturbia *a limine* la cuestión. En la serie de artículos «Amor en Stendhal», que *El Sol* publicó este otoño, creo haber mostrado el error evidente que hay en tal reducción. Basta advertir el hecho constante de que el hombre desea sexualmente, con una u otra intensidad, innumerables mujeres, en tanto que su amor, por hipertrófico y pululante que sea, sólo se fija en unas cuantas, para que resulte imposible identificar ambos ímpetus. Pero, además, el amable corresponsal dice que «cada persona ama con la plenitud de su espíritu». Mal puede entonces ser el amor «apetencia sexual» sin más. Y si es más, si a la brama del sexo agrega el espíritu su heterogénea colaboración, tendremos un movimiento psíquico muy diferente del mero instinto, y que es el que llamamos amor.

Y no está bien calificar tan sustancial añadido de «ringorrango lírico». Fuera suficiente que en un minuto de calma, junto al aljibe, entre los geranios y mientras resbalan sobre al patio cordobés las nubes viajeras, se entretuviese en fijar el diferente significado que tienen las palabras amar y desear. Vería entonces este discreto cordobés que amor y deseo o apetito no se parecen en nada, aunque el uno sea suscitado por el otro: lo que se desea puede alguna vez llegar a amarse; lo que amamos, *porque* lo amamos, lo deseamos.

Hubo un tiempo —por ejemplo, el del «resentido» Remigio de Gourmont— en que parecía una superficialidad de análisis dejarse «engañar» por la retórica del amor, y se subrayaba bajo él el tirón sexual *(Physique de l'amour)*. En verdad que se ha exagerado mucho el papel de este instinto en el hombre. Cuando se iniciaba esta psicología peyorativa y aviesa —a fines del XVIII—, dijo ya Beaumarchais que «beber sin sed y amar en todo tiempo es lo único que diferencia al hombre del animal». Está bien; pero ¿qué es preciso añadir al animal, «amante» una vez al año, para hacer de él una criatura que «ama» en las cuatro estaciones? Aun quedándonos en el piso bajo de la sexualidad, ¿cómo es posible que del animal, tan indolente en amor, proceda el hombre, que se manifiesta en la materia tan superlativamente laborioso? Pronto caemos en la cuenta de que en el hombre prácticamente no existe, hablando con rigor, el instinto sexual, sino que se da siempre indisolublemente articulado, por lo menos, con la fantasía.

Si el hombre no poseyese tan generosa, tan fértil imaginación, no «amaría» sexualmente, como lo hace, en toda posible ocasión. La mayor parte de los efectos que se cargan al instinto no proceden de él. Si así fuese, aparecerían también en el animal. Las nueve décimas partes de lo que se atribuye a la sexualidad es obra de nuestro magnífico poder de imaginar, el cual no es ya un instinto, sino todo lo contrario: una creación. Apunto aquí sólo la advertencia de que probablemente la notoria desproporción entre el sexualismo del hombre y el de la mujer, que hace a ésta, normalmente, espontáneamente, tan moderada en «amor», coincide con el hecho de que la hembra humana suele disponer de menos poder imaginativo que el varón. La naturaleza, con tiento y previsión, lo ha querido así, porque de acaecer lo contrario y hallarse la mujer dotada de tanta fantasía como el hombre, la lubricidad hubiera anegado el planeta y la especie humana hubiera desaparecido volatilizada en delicias[1].

Como esta idea que no ve en el amor más realidad que el instinto sexual[2] se halla muy extendida y bien instalada en las mentes, me ha parecido útil publicar la carta cordobesa, que nos da una vez más pretexto para intentar su evacuación.

Termina el anónimo reconociendo que «por el amor se puede conocer al amante; pero no por el objeto amado». A lo que yo respondería, evitando muchas palabras: 1.º ¿Cómo es posible conocer el amor del amante por método directo, si a fuer de sentimiento pertenece al arcano de la intimidad? La elección de objeto es el gesto que nos permite adivinarlo. 2.º Si en el amor lo pone todo el amante, ¿por qué este discretísimo lector no evita reincidir en la otra idea, que, junto a la interpretación sexualista, más caminos cierra en psicología del amor —la «cristalización» de Stendhal? Según ésta, serían siempre imaginarias las gracias que suponemos en lo amado. Amar sería equivocarse. Largamente combato en la serie arriba citada este pensamiento, favorecido con mucha mejor fortuna que la merecida. Mis razones en contra pueden resumirse en dos. Una: no es verosímil que ninguna actividad normal del hombre consista en un esencial error. El amor se equivoca algunas veces, como se equivocan los ojos y los oídos. Pero, como éstos, su normalidad consiste en un acierto suficiente. Otra: imaginarias o no, el amor

---

[1] La lujuria no es un instinto, sino una creación específicamente humana —como la literatura. En ambas, el factor más importante es la imaginación. ¿Por qué los psiquiatras no estudian la lujuria bajo este ángulo, como un género literario que tiene sus orígenes, sus leyes, su evolución y sus límites?

[2] Si además de los instintos corporales tiene el alma también instintos, como yo creo, la discusión habría que plantearla de manera muy distinta.

va a ciertas gracias y calidades. Tiene siempre un objeto. Y aunque la persona real no coincida con este objeto imaginario, algún motivo de afinidad existirá entre ambos que nos lleve a suponer tal mujer, y no tal otra, como el substrato y sujeto de aquellos encantos.

IV

[LAS «EQUIVOCACIONES»]

Esta idea de que en el amor hay elección —una elección mucho más efectiva que cuantas se pueden hacer consciente, deliberadamente— y que esa elección no es libre, sino que depende de cuál sea el carácter radical del sujeto, tiene que parecer, desde luego, inaceptable a quienes conservan una interpretación psicológica del hombre que, a mi juicio, ha periclitado y debe sustituirse. Consiste en la tendencia a exagerar la intervención del azar y de las contingencias mecánicas en la vida humana.

Hace sesenta años, o más, los hombres de ciencia ensayaron cuidadosamente este punto de vista y aspiraron a construir una mecánica psicológica. Como siempre pasa, han tardado sus pensamientos una generación en llegar a la conciencia del hombre medio culto, y ahora todo nuevo intento de ver más exactamente las cosas encuentra las cabezas amuebladas con los caducos armatostes. Aparte, pues, de que la tesis aquí insinuada sea verdad o error, tiene por fuerza que chocar con corrientes generales de pensamiento que llevan opuesta dirección. Se han acostumbrado las gentes a pensar que los acontecimientos cuya textura forma la existencia no tienen sentido, bueno ni malo, sino que sobrevienen por una mezcla de azar y fatalidad mecánica.

Toda idea que reduzca el papel de ambos ingredientes en el destino de la persona y quiera descubrir en éste una ley interna, radicada en el carácter del individuo, será por de pronto rechazada. Un enjambre de observaciones falsas —en este caso, sobre los «amores» de nuestros convecinos o los propios— acude a obturar el paso por donde podía penetrar en la mente, ser entendida y luego ser juzgada. Añádanse a esto las malas inteligencias habituales, que casi siempre consisten en añadidos espontáneos que el lector imbuye en la idea del autor. A este género pertenecen las más numerosas objeciones que recibo. Entre éstas, a su vez, la más frecuente estriba en hacer notar que si amásemos la mujer cuya persona refleja nuestro íntimo modo de ser, no sería tan frecuente la infelicidad que sigue a la pasión o en ella misma se engendra. Lo cual sugiere que estos amables lectores han unido arbitrariamente a esta afinidad entre el amante y su objeto, sustentada por mí, la de una felicidad consecuente.

Ahora bien: yo creo que lo uno no tiene nada que ver con lo otro. Un hombre vanidoso en su última raíz —como suelen serlo los «aristócratas» de sangre, por decaídos que estén— se enamorará de una mujer vanidosa también. La consecuencia de esta elección es, inevitablemente, la infelicidad. No confundamos las consecuencias de la elección con esta misma. Al propio tiempo contesto a otro linaje de objeciones muy reiteradas. Se dice que, en muchos casos, uno u otro de los amantes se ha equivocado: creyó que su elegido era de una manera y luego resulta ser de otra. ¿No es ésta una de las canciones más repetidas en la usual psicología del amor? A creerla, sería casi, casi lo normal el *quid pro quo,* la equivocación. Aquí se separan nuestros caminos. Yo no puedo, sin hartura de razones, aceptar teoría ninguna según la cual resulte que la vida humana, en una de sus más hondas y graves actividades —como es el amor—, es un puro y casi constante absurdo, un despropósito y una equivocación.

No niego que éstos puedan alguna vez producirse, como acontece en la visión corporal, sin que ello invalide el acierto de nuestra percepción sana. Pero si se insiste en presentar la equivocación como un hecho de normal frecuencia, diré que me parece falso, oriundo de insuficiente observación. La equivocación, en la mayor parte de los presuntos casos, no existe: la persona es lo que pareció desde luego, sólo que después se sufren las consecuencias de ese modo de ser, y a esto es a lo que llamamos nuestra equivocación. Por ejemplo: no es raro que la joven burguesita madrileña se enamore de un hombre por cierta soltura y como audacia que rezuma su persona. Siempre está sobre las circunstancias, presto a resolverlas con una soltura y un dominio que maravillan y que proceden, en definitiva, de una absoluta falta de respeto a todo lo divino y lo humano. No se puede negar que tal elasticidad de movimientos da a este tipo de varón una gracia de primer pronto que suele faltar a caracteres más profundos. Es, en resolución, el tipo del «calavera»[1]. La muchacha se enamora, pues, del calavera antes de que ejecute sus calaveradas. Poco después, el marido le empeña las joyas y la abandona. Las personas amigas consuelan a la damita sin ventura por su «equivocación»; pero en el último fondo de su conciencia sabe ésta muy bien que no hubo tal, que una sospecha de tales posibilidades sintió desde el principio, y que esa sospecha era un ingrediente de su amor, lo que le «sabía» mejor en aquel hombre.

Creo que necesitamos ir reformando las ideas tópicas sobre este magnífico sentimiento, porque anda, sobre todo en nuestra Península, muy entontecido el amor. Resorte espléndido de la vitalidad humana —que, después de todo, no cuenta con muchos— conviene ponerlo a punto y libertarlo de torpes adherencias. Seamos, pues, parcos en acudir a la idea de la «equivo-

---

[1] Ignoro de dónde viene esta expresión tan graciosa de nuestro idioma, y si algún lector conociese su origen de manera fehaciente, yo le agradecería mucho que me lo comunicase. Sospecho que se trata de las escenas de violación de cementerios que la juventud dorada puso de moda en el Renacimiento.

cación» siempre que se intenta aclarar el drama frecuente del erotismo. Y deploro que el discreto anónimo de Córdoba, en nueva comunicación, se acoja al pensamiento de que nos enamora la «proporcionalidad física» de otro ser, y como bajo un mismo físico «se dan las psiques más distintas y hasta opuestas», sobrevienen los errores y resulta imposible afirmar una afinidad entre el objeto amado y la índole del amante. El caso es que en su primera carta este cortés paisano de Averroes reconocía que en los gestos y fisonomías de una persona transparece su ser íntimo. Siento mucho no poder aceptar esa separación entre lo físico y lo psíquico, que es otra gran manía de la época pasada. Es falso, de toda falsedad, que veamos «sólo» un cuerpo cuando vemos ante nosotros una figura humana. ¡Cómo si luego, por un acto mental nuevo y posterior, añadiésemos mágicamente y no se sabe cómo a ese objeto material una psique tomada no se sabe de dónde![1] Lejos de acontecer así las cosas, ocurre que nos cuesta gran trabajo separar y abstraer el cuerpo del alma, suponiendo que lo logremos. No sólo en la convivencia humana, sino aun en el trato con cualquiera otro ser viviente, la visión física de su forma es a la vez percepción psíquica de su alma o cuasi alma. En el aullido del perro percibimos su dolor, y en la pupila del tigre, su ferocidad. Por eso distinguimos la piedra y la máquina de la figura con carne. Carne es esencial y constitutivamente cuerpo físico cargado de electricidad psíquica; de carácter, en suma. Y el hecho de que a veces existan formas equívocas y erremos en la percepción del alma ajena no servirá, repito, para invalidar el acierto normal[2]. Al enfrentarnos con una criatura de nuestra especie nos es,

---

[1] Véase mi ensayo «La percepción del prójimo» (*Obras completas,* tomo VI) y, sobre todo, la gran obra de Scheler: *Wesen und Formen der Sympatie,* 1923.

[2] Sobre esta gran cuestión del valor expresivo del cuerpo, vuelvo a remitir la atención del lector curioso a mi ensayo «Sobre la expresión, fenómeno cósmico», *El Espectador,* VII

desde luego, revelada su condición íntima. Esta penetración de nuestro prójimo es mayor o menor, según sea nuestra nativa perspicacia. Sin ella no sería posible el más elemental trato y la social convivencia. Cada gesto y palabra que hiciéramos heriría a nuestro interlocutor. Y como nos percatamos del don auditivo cuando hablamos con un sordo, advertimos la existencia de esa intuición normal que el hombre tiene para sus semejantes cuando tropezamos con un indiscreto, con una persona sin «tacto»; expresión ésta admirable, que alude a ese sentido de percepción espiritual con que parece palparse el alma ajena, tocar su perfil, la aspereza o suavidad de su carácter, etc. Lo que no podrá la mayor parte de las personas es «decir» cómo es el prójimo que tienen delante. Pero el que no pueda «decirlo» no implica que no lo esté viendo. «Decir» es expresarse en conceptos, y el concepto supone una actividad analítica, específicamente intelectual, que pocos individuos han ejercitado. El saber que se expresa en vocablos es superior al que se contenta con tener algo ante los ojos; pero éste también es un saber. Pruebe el lector a describir con palabras lo que en cualquier momento está viendo y se sorprenderá de lo poco que puede «decir» sobre aquello que tan claramente tiene ante sí. Y, sin embargo, ese saber visual nos sirve para movernos entre las cosas, para diferenciarlas —por ejemplo: los diversos matices sin nombre de un color—, para buscarlas o evitarlas. En esta forma sutilísima actúa en nosotros la percepción que del prójimo tenemos, y muy especialmente en el caso del amor.

No se repita, pues, tan tranquilamente como diciendo cosa clara y sencilla, que el hombre se enamora de la mujer «físicamente», o viceversa, y que luego sobreviene el choque con el carácter de quien amábamos. Lo que sí acontece es que algunas personas de uno y otro sexo se enamoran de un cuerpo como tal; pero esto revela precisamente su modo de ser específico. Es el carácter sensual del amante quien sugiere esta preferencia. Mas es preciso agregar que tal carácter se da con mucha menos frecuencia de lo que suele creerse. Sobre todo, en la mujer es rara tal condición. Por eso quien haya observado con algún cuidado el alma femenina pondrá en duda, como suceso normal, el entusiasmo erótico de la mujer por la belleza masculina. Y hasta puede predecirse qué tipos de mujer serán la excepción a esta regla. Helos aquí: primero, las mujeres de alma un poco masculina; segundo, las que desde luego han practicado sin limitaciones la vida sexual (prostitutas); tercero, las mujeres normales que tienen tras de sí una vida sexual plenamente ejercitada y llegan a la madurez; cuarto, las que por su constitución psicofisiológica vienen al mundo dotadas de «gran temperamento».

Estos cuatro tipos de mujer poseen una nota común que les hace coincidir en una marcada debilidad ante la belleza del varón. Como es notorio, el alma femenina es mucho más unitaria que la del hombre; es decir, que en el alma femenina se hallan menos separados unos elementos de otros que en la varonil. Así, es menos frecuente que en el hombre la disociación entre el placer sexual y el afecto o entusiasmo. En la mujer, aquél no se despierta sin éste tan fácilmente como en nosotros. Es preciso que haya algún motivo muy especial para que la sensualidad femenina se haga independiente y actúe por su cuenta y según su ley particular. Pues bien: en esos cuatro tipos de mujer se da el germen para que esa disociación de la sensualidad se produzca. En el primero, por la dosis de masculinidad que hay en ella; por tanto, de menor unitarismo, de nativa separación entre las distintas potencias. (La masculinidad en la mujer es uno de los temas más interesantes de la psicología humana y merecía un estudio aparte.) En el segundo, la disociación se produce por el oficio mismo. Por eso, más que nadie, la prostituta es sensible al guapo (suponiendo que la prostituta no sea una caso peculiarísimo de masculinismo en la mujer). En el tercero, que es perfectamente normal, me refiero al hecho de que, como suele decirse, «los sentidos de la mujer tardan en despertar». La verdad es que tardan en hacerse independientes, y que sólo la mujer que ha hecho, aun dentro de todas las normas, una vida sexual prolongada y enérgica, llega efectivamente a manumitir su sensualidad. En el hombre, el exceso de imaginación puede sustituir para los efectos del desarrollo sensual al efectivo ejercicio. En la mujer —cuando no es masculina—, la imaginación suele ser paupérrima, y a este efecto conviene atribuir en buena parte la honestidad habitual de la hembra humana.

V

[LA INFLUENCIA COTIDIANA]

Si el amor es, en efecto, tan decisivamente elección como yo supongo, poseeremos en él, a la par, una *ratio cognoscendi* y una *ratio essendi* del individuo. Nos sirve de criterio y señal para conocer el subsuelo moral de éste, como, según el símil de Esquilo, los corchos flotando entre las espumas del mar anuncian la red que rasca el áspero fondo. Por otra parte, actúa causalmente en la biografía de la persona, trayendo a ella, al más íntimo centro de ella, seres de determinado tipo y eliminando los restantes. El amor modela de esta suerte el destino individual. Yo creo que no nos hacemos bien cargo de la enorme influencia que sobre el curso de nuestra vida ejercen nuestros amores. Porque al pronto pensamos sólo en los influjos más superficiales, aunque de aspecto más dramático —las «locuras» que por una mujer hace un hombre, o viceversa. Y como la mayor porción de nuestra vida, cuando no toda ella, se halla exenta de tales locuras, tendemos a escatimar la proporción de aquella influencia. Pero el caso es que ésta suele adoptar un cariz sutilísimo, especialmente la de una mujer, sobre la existencia de un hombre. Junta el amor a los individuos en convivencia tan estrecha y omnímoda, que no deja entre ellos distancia para que se perciba la reforma que uno sobre otro produce. Sobre todo, la influencia de la mujer es atmosférica y, por lo mismo, ubicua e invisible. No hay manera de prevenirla y evitarla. Penetra por los intersticios de la cautela y va actuando sobre el hombre amado como el clima sobre el vegetal. Sus modos radicales de sentir la existencia oprimen suave y continuamente las facciones de nuestra alma y acaban por transmitirle su peculiar alabeo.

Esto nos lleva a descubrir en la idea de que el amor es una elección profunda, perspectivas importantes. Pues si en vez de referirnos al individuo en singular, proyectamos la doctrina sobre todos los individuos de una época —por ejemplo, de una generación—, tendremos lo siguiente: como siempre que se habla de muchedumbres, de masas, las extremas diferencias puramente individuales se contrarrestan y queda dominando cierto tipo medio de conducta; en este caso, cierto tipo medio de preferencia amorosa. Es decir: que cada generación prefiere un tipo general de varón y otro tipo general de mujer, o, lo que viene a ser lo mismo, cierto grupo de tipos en uno y otro sexo. Y siendo al cabo el matrimonio la forma más importante numéricamente de relación erótica, podemos decir que en cada época se casan mejor más mujeres de un cierto tipo que de los demás[1].

Como el individuo, cada generación revela en la elección de sus amores las corrientes subterráneas que la informan, hasta el punto de que fuera uno de los

---

[1] No creo que sea necesario, con motivo de esta aplicación particular, recordar las conocidas reglas de toda ley o apreciación sobre grandes masas de casos, reglas en que funda su rigor la estadística. En un número muy importante de casos se dan, claro está, los de las especies más diversas; pero predomina una, y las excepciones se anulan entre sí. En cualquiera época se casan mujeres de todos los tipos; pero predomina uno, favorecido cualitativa y cuantitativamente.

ángulos más instructivos bajo el que pudiera tomarse la evolución humana intentar una historia de los tipos femeninos que sucesivamente han sido preferidos. Y como cada generación, cada raza va alquitarando un prototipo de feminidad que no se produce espontáneamente, sino que va siendo modelado en larga obra secular, a fuerza de coincidir la mayoría de los hombres en preferirlo. Así, un esquema cuidadoso e impecable de lo que es la archimujer española arrojaría pavorosas luces sobre las cavernas secretas del alma peninsular. Habría, claro está, que destacar su perfil merced a comparaciones con la archifrancesa, la archieslava, etc. Lo fecundo, en esto como en todo, es no creer que las cosas y los seres son lo que son porque sí y en virtud de pura generación espontánea. No; todo lo que es, lo que está ahí, lo que tiene una forma, sea la que sea, es producto de una actividad. En este sentido, *todo ha sido hecho,* y siempre es posible indagar cuál es la potencia que lo ha fraguado y que en esa obra deja para siempre la señal de sí misma. En el perfil moral de la mujer española quedan conservados los golpes de toda nuestra historia, como los martillazos quedan en el repujado de un cáliz.

Pero lo importante en la preferencia amorosa de una generación es su poder causal. Porque, evidentemente, del tipo de mujeres que ella elija depende no sólo su existencia, sino, en buena parte, la del tiempo subsiguiente. En el hogar domina siempre el clima que la mujer trae y es. Por mucho que «mande» el hombre, su intervención en la vida familiar es discontinua, periférica y oficial. La casa es lo esencialmente cotidiano, lo continuo, la serie indefinida de los minutos idénticos, el aire habitual que los pulmones tenazmente recogen y devuelven. Este ambiente doméstico emana de la madre y envuelve desde luego a la generación de los hijos. Podrán éstos ser de los temperamentos y caracteres más diversos; pero inevitablemente se han ido desarrollando bajo la presión de aquel ambiente, nivel común sobre el que han nacido, alisio perdurable que les ha impuesto peculiar curvatura. Una mínima diferencia en el modo de sentir la vida, en la mujer preferida por los hombres de hoy, multiplicada por la constancia de su influjo y por el crecido número de hogares donde se repite, da como resultado una enorme modificación histórica a treinta años vista. En manera alguna pretendo que sea éste el único factor importante de la historia; pero sí que es uno de los más eficientes. Imagínese que el tipo general de mujer preferido por los muchachos de hoy sea un poco, muy poco, más dinámico que el amado por la generación de nuestros padres. Los hijos serán, desde luego, proyectados hacia una existencia un poco más audaz y emprendedora, más llena de apetitos y de ensayos. Por pequeño que sea el cambio de tendencia vital, ampliado sobre la vida media de toda la nación traerá, ineludiblemente, una transformación gigantesca de España.

Nótese que lo decisivo en la historia de un pueblo es el hombre medio. De lo que él sea depende el tono del cuerpo nacional. Con ello no quiero, ni mucho menos, negar a los individuos egregios, a las figuras excelsas, una intervención poderosa en los destinos de una raza. Sin ellos no habrá nada que merezca la pena. Pero, cualquiera que sea su excelsitud y su perfección, no actuarán históricamente sino en la medida que su ejemplo e influjo impregnen al hombre medio. ¡Qué le vamos a hacer! La historia es, sin remisión, el reino de lo mediocre. La Humanidad sólo tiene de mayúscula la hache con que la decoramos tipográficamente. La genialidad mayor se estrella contra la fuerza ilimitada de lo vulgar. El planeta está, al parecer, fabricado para que el hombre medio reine siempre. Por eso lo importante es que el nivel medio sea lo más elevado posible. Y lo que hace magníficos a los pueblos no es primariamente sus grandes hombres, sino la altura de los innumerables mediocres. Claro es que, a mi juicio, el nivel medio no se elevará nunca sin la existencia de ejemplares superiores, modelos que atraigan hacia lo alto la inercia de las muchedumbres. Por tanto, la intervención del grande hombre es sólo secundaria e indirecta. No son ellos la realidad histórica, y puede ocurrir que un pueblo posea geniales individuos, sin que por ello la nación valga históricamente más. Esto acontece siempre que la masa es indócil a esos ejemplares, no les sigue, no se perfecciona.

Es curioso que los historiadores, hasta hace poco, se ocupasen exclusivamente de lo extraordinario, de los hechos sorprendentes, y no advirtiesen que todo eso posee sólo un valor anecdótico, o, a lo sumo, parcial, y que la realidad en historia es precisamente lo cotidiano, océano inmenso en que su vasta dimensión anega todo lo insólito y sobresaliente.

Ahora bien: donde lo cotidiano gobierna es siempre un factor de primer orden la mujer, cuya alma es en un grado extremo cotidiana. El hombre tiende siempre más a lo extraordinario; por lo menos sueña con la aventura y el cambio, con situaciones tensas, difíciles, originales. La mujer, por el contrario, siente una fruición verdaderamente extraña por la cotidianeidad. Se arrellana en el hábito inveterado y, como pueda, hará de hoy un ayer. Siempre me ha parecido una tontería lo de *souvent femme varie,* opinión formada atropelladamente por el hombre enamorado con quien la mujer juega un rato. Pero el punto de vista del galanteador es de muy reducido horizonte. Cuando se contempla a la mujer desde mayor distancia y con serena retina, con mirada de zoólogo, se ve con sorpresa que tiende superlativamente a demorar en lo que está, a arraigar en el uso, en la idea, en la faena donde ha sido colocada; a hacer, en suma, de todo costumbre. Y resulta conmovedora la mala inteligencia persistente que entre uno y otro sexo existe a este respecto: el hombre va a la mujer como a una fiesta y a un frenesí, como a un éxtasis que rompa la monotonía de la existencia, y encuentra casi siempre un ser que sólo es feliz ocupado en faenas cotidianas, sea en zurcir la ropa blanca, sea en acudir al *dancing*. Tanto es así que, con gran sorpresa por cierto, los etnógrafos nos muestran que el trabajo fue inventado por la mujer; el trabajo, es decir, la faena diaria y forzosa, frente a la empresa, el discontinuo esfuerzo deportivo y la aventura. Por eso es la mujer quien crea los oficios: es la primera agricultora, colectora y ceramista. (Siempre me ha extrañado que en un ensayo de Gregorio Marañón titulado *Sexo y trabajo* no se cuente con este hecho, tan elemental y notorio.)

Cuando se entrevé en lo cotidiano la fuerza dominante de la historia, llega uno a comprender el gigantesco influjo de lo femenino en los destinos étnicos, y preocupa sobremanera qué tipo de mujer haya sobresalido en el pasado de nuestro pueblo y cuál sea el que en nuestro tiempo comienza a ser preferido. Comprendo, sin embargo, que esta preocupación no sea frecuente entre nosotros, porque, al hablar de la mujer española, se resuelve todo recordando la presunta herencia de los árabes y la intervención del cura. No discutamos ahora la porción de verdad que en semejante tesis resida. Mi objeción a ella es previa y consiste en hacer notar que, suponiendo verídicos estos dos agentes del tipo femenino español, resultaría éste producido exclusivamente por el influjo varonil, y, por tanto, que esa tesis no recela siquiera el influjo recíproco de la mujer sobre sí misma y sobre la historia nacional.

VI

[LA SELECCION EROTICA]

¿Cuál ha sido el tipo de mujer preferido en España por la generación anterior a nosotros? ¿Cuál el que nosotros hemos amado? ¿Cuál el que presumiblemente va a elegir la nueva generación? Tema sutil, delicado, comprometido, como deben ser los temas sobre que se escribe. ¿Para qué escribir, si no se da a esta operación, demasiado fácil, de empujar una pluma sobre un papel cierto riesgo tauromáquico y no nos acercamos a asuntos peligrosos, ágiles, bicornes? En este caso, además, se trata de una cuestión sobremanera importante, y es incomprensible que ella u otras parejas no sean más frecuentemente tratadas. Se discute largamente una ley financiera o un reglamento de circulación, y, en cambio, no se comentan ni analizan las tendencias sentimentales que llevan como en brazos la vida íntegra de nuestros contemporáneos. Y, sin embargo, del tipo de mujer predominante dependen, en no escasa medida, las instituciones políticas. Es ciego quien no encuentra una estrecha correlación entre el Parlamento español de 1910, por ejemplo, y el tipo de mujer que los políticos de entonces habían alojado en su domesticidad. Yo quisiera escribir sobre todo esto, aun previendo que habré de errar en las nueve décimas partes de mi juicio. Pero este sacrificio de equivocarse lealmente es casi la única virtud pública que el escritor, como tal, puede ofrecer a sus convecinos. Lo demás son vanos gestos de plazuela o velador de café, módicos heroísmos que no nacen del órgano peculiar a su oficio: la inteligencia. (Desde hace diez años, muchos escritores españoles buscan en la política el pretexto para no ser inteligentes.) Mas antes de ensayar el diseño de esos perfiles femeninos dominantes en esta época española —intento a que conviene un estudio aparte—, quiero llevar a su última consecuencia de gran radio esta idea de la elección en amor.

Al pasar del individuo singular a la masa de una generación, la elección amorosa se ha convertido en selección, y nuestra idea desemboca en el gran pensamiento de Darwin —la selección sexual—, potencia gigante que contribuye a la forja de nuevas formas biológicas. Es de notar que este magnífico pensamiento no ha podido aplicarse fecundamente a la historia humana: quedaba recluido en el corral, en el redil y en la selva. Le faltaba una rueda para funcionar como idea histórica. La historia humana es un drama interior:

pasa dentro de las almas. Y era menester trasponer a este íntimo escenario la selección sexual. Ahora veremos que en el hombre esta selección se hace por elección, y que esta elección va regida por ideales profundos, fermentados en lo más subterráneo de la persona.

A la idea de Darwin le faltaba esta rueda y le sobra otra: en la selección sexual eran elegidos, preferidos, los mejor adaptados. Esta idea de la adaptación es la rueda que sobra. Como es sabido, se trata de un pensamiento vago, impreciso. ¿Cuándo un organismo está especialmente bien adaptado? ¿No lo están todos, salvo los enfermos? ¿No puede decirse, por otra parte, que no lo está plenamente ninguno?, etc. Y no es que yo abomine del principio de adaptación, sin el cual no es posible manejarse en biología. Pero es preciso darle formas mucho más complejas y sinuosas que las que le dio Darwin, y, sobre todo, es preciso dejarlo en un puesto secundario. Porque es falso definir la vida como adaptación. Sin un mínimum de ésta no es posible vivir; pero lo sorprendente de la vida es que crea formas audaces, atrevidísimas, primariamente inadaptadas, las cuales, no obstante, se las arreglan para acomodarse a un mínimum de condiciones y logran sobrevivir. De suerte que toda especie viviente puede y debe ser estudiada desde dos caras opuestas: como lujoso fenómeno de inadaptación y capricho y como ingenioso mecanismo de adaptación. Diríase que la vida en cada especie se plantea un problema de aspecto insoluble para darse el gusto de resolverlo, generalmente con riqueza y elegancia. Tanto, que estudiando las formas vivientes mira uno en derredor, a lo ancho del Cosmos, buscando el espectador entendido en vista de cuyo aplauso se toma todo ese trabajo, alegre, la Naturaleza.

Ignoramos por completo cuáles sean los propósitos últimos que dirigen la selección sexual en la especie humana. Sólo podemos descubrir resultados parciales y hacernos algunas preguntas sabrosamente indiscretas.

Por ejemplo, ésta: ¿Ha sido en alguna época normal que la mujer prefiera al tipo mejor de hombre existente en ella? Apenas planteada la interrogación, entrevemos ya la grave dualidad: el hombre mejor para el hombre y el hombre mejor para la mujer no coinciden. Hay vehementes sospechas de que no han coincidido nunca.

Digámoslo con toda crudeza: a la mujer no le han interesado nunca los genios, como no fuera *per accidens;* es decir, cuando a lo genial de un hombre van adyacentes condiciones poco compatibles con la genialidad. Lo cierto es que las calidades que suelen estimarse más en el varón para los efectos del progreso y grandeza humanos no interesan nada eróticamente a la mujer. ¿Quiere decirme qué le importa a una mujer que un hombre sea un gran matemático, un gran físico, un gran político? Y así sucesivamente: todos los talentos y esfuerzos específicamente masculinos que han engendrado y engrosado la cultura y excitan el entusiasmo varonil son nulos para atraer por sí mismos a la mujer. Y si buscamos cuáles son, en cambio, las cualidades que la enamoran, hallamos que son las menos fértiles para la perfección general de la especie, las que menos interesan a los hombres. El genio no es un «hombre interesante» según la mujer, y, viceversa, el «hombre interesante» no interesa a los hombres.

Un ejemplo extremo de esta ineficacia sobre la mujer aneja al grande hombre es Napoleón. Conocemos su vida minuto tras minuto; tenemos la lista completa de sus aproximaciones a la feminidad. No faltaba a Napoleón corrección corporal. De joven, su delgadez aguda le daba un aire grácil de fino zorro corso; luego se redondeó imperialmente, y su cabeza es una de las más hermosas desde el punto de vista masculino. Ello es que hasta su figura física ha exaltado el fervor y la fantasía de los artistas —pintores, escultores, poetas—, y bien podían las mujeres haberse también entusiasmado un poco. Pues nada de eso: con grandes probabilidades de decir la verdad, puede afirmarse que ninguna mujer se ha enamorado de Napoleón dueño del mundo; todas se sentían inquietas, desazonadas y más a gusto cerca de él; todas pensaban lo que Josefina, más sincera, decía. Mientras el joven general, apasionado, hacía caer en su regazo joyas, millones, obras de arte, provincias, coronas, Josefina le engañaba con el primer bailarín que sobrevenía, y al recibir aquellos tesoros, sorprendida, exclamaba: *Il est drôle, ce Bonaparte,* resbalando sobre la *r* y cargando sobre la *l,* como suelen las criollas francesas[1].

Es penoso advertir el desamparo de calor femenino en que han solido vivir los pobres grandes hombres. Diríase que el genio horripila a la mujer. Las excepciones subrayan más la plenitud del hecho. Este, que es de suyo palmario, resulta más hiriente si se hace en él una operación de multiplicar exigida por la realidad.

Me refiero a lo siguiente: en el proceso del amor es preciso distinguir dos estadios cuya confusión enturbia desde el principio hasta el fin la psicología del erotismo. Para que una mujer se enamore de un hombre, o viceversa, es preciso que antes *se fije* en él. Este fijarse no es otra cosa que una condensación de la atención sobre la persona, merced a la cual queda ésta destacada y elevada sobre el plano común. No tiene aún tal favor atencional nada de amor, pero es una situación preliminar a él. Sin fijarse antes, no ha lugar el fenómeno amoroso, aunque puede éste no seguir a aquél. Claro es que la fijación crea una atmósfera tan favorable a la germinación de entusiasmo, que lograrla equivale normalmente a un comienzo de amor. Pero es de suma importancia diferenciar ambos momentos, porque en ambos rigen principios diferentes. Un buen número de errores en psicología del amor provienen de confundir las calidades que «llaman la atención» y, por tanto,

---

[1] Las relaciones entre Napoleón y Josefina están bien contadas en el reciente libro de Octavio Aubry: *Le roman de Napoléon. Napoléon et Josephine,* 1927.

destacan favorablemente al individuo, con aquellas otras que propiamente enamoran. Las riquezas, por ejemplo, no es lo que se ama en un hombre; pero el hombre rico es destacado ante la mujer por su riqueza. Ahora bien: un hombre ilustre por sus talentos posee superior probabilidad de ser atendido por la mujer; de suerte que, si ésta no se enamora, es difícil la excusa. Tal es el caso del grande hombre, que generalmente goza de luminosa notoriedad. El despego que hacia él siente el sexo femenino debe, pues, ser multiplicado por este importante factor. La mujer desdeña al grande hombre concienzudamente, y no por azar o descuido.

Desde el punto de vista de la selección humana, este hecho significa que la mujer no colabora con su preferencia sentimental en el perfeccionamiento de la especie, al menos en el sentido que los hombres atribuimos a éste. Tiende más bien a eliminar los individuos mejores, masculinamente hablando, a los que innovan y emprenden altas empresas, y manifiesta un decidido entusiasmo por la mediocridad. Cuando se ha pasado buena porción de la vida con la pupila alerta, observando el ir y venir de la mujer, no es fácil hacerse ilusiones sobre la norma de sus preferencias. Todo el buen deseo que a veces muestra de exaltarse por los hombres óptimos suele fracasar tristemente, y, en cambio, se le ve nadar a gusto, como en su elemento, cuando circula entre hombres mediocres.

Este es el hecho que la observación apronta; mas no se crea que al formularlo va inclusa una censura al carácter normal de la mujer. Repito que los propósitos de la Naturaleza quedan superlativamente arcanos. ¿Quién sabe si a la postre conviene este despego de la mujer hacia lo mejor? Tal vez su papel en la mecánica de la historia es ser una fuerza retardataria frente a la turbulenta inquietud, al afán de cambio y avance que brota del alma masculina. Ello es que, tomando la cuestión con su más amplio horizonte y como zoológicamente, la tendencia general de los fervores femeninos parece resuelta a mantener la especie dentro de límites mediocres, a evitar la selección en el sentido de lo óptimo, a procurar que el hombre no llegue nunca a ser semidiós o arcángel*.

* [Esta serie de seis artículos apareció en el diario *El Sol* los días 10, 17 y 21 de julio; 21 de agosto: 4 y 11 de noviembre de 1927.]

OTROS ENSAYOS AFINES

EL MANIFIESTO DE MARCELA

Ce n'est point la prudence qui manque aux jeunes filles qui ont fait l'ornement des bals de cet hiver.

Stendhal.

Señora, ¡que no fuera yo en este momento escritor feminista! Sin embargo, esos hombres son temibles, porque suelen traer al severo país de la ética ciertas maneras de raciocinios que recuerdan los gestos de los modistos y su sistema filosófico. Pero en estos momentos en que los honrados españoles nos consagramos a rumiar nuevamente las páginas jugosas del *Quijote* es casi una obligación revivir todas sus frases, todas sus ideas, todas sus imágenes, aun las más inquietadoras. Y yo he venido a caer en mis vagabundeos por este libro santo de la desilusión sobre un trozo que fue escrito, sin duda, por aquella única mano con destino a las mujeres españolas del siglo XX.

Un día, señora —hace de esto más de tres siglos—, por esos campos ingratos y planos de la Mancha corrió una gran voz romántica. Crisóstomo había muerto de amores por desdenes de Marcela.

Al pie de una breñas cárdenas, entre las que se alzan chatas y oscuras carrascas, están cavando una fosa. Junto hay un tropel de extrañas figuras. Más allá, más acá, por todos lados la hastiada soledad de la meseta bajo un sol ancho de otoño. En primer término hay un ataúd y en él el cuerpo lívido de Crisóstomo; rodéanlo algunos mozos de teces pálidas y miradas vagueantes, «con pellicos de negra lana vestidos y coronados con guirnaldas cuál de tejo y cuál de ciprés». Uno de ellos, Ambrosio, está hablando triste y ardientemente de la muerte de su amigo; un poco nos angustia la retórica eflorescente y juvenil que de sus labios fluye: en breve espacio nos habla de Nero y de Tarquino y de la abrasada Roma. Mas hemos de perdonar semejantes vicios a una retórica —como he dicho— juvenil y aún no bien desfogada.

Próximos se hallan unos cabreros con sus pieles ralas en torno a los cuerpos, con sus barbas sin hacer y sus ojos curiosos y sus espesos cabellos bravos. Entre ellos hay unos estudiantes que vienen de camino en sus trotones, llenas las cabezas de teología, las pupilas de malicia y los pechos de buena fe. En el centro se yergue, como un chopo infolie, enhiesto, rígido, altivo, sereno, caballeresco en su rocín, resuelto, firme, ese buen hombre que va a realizar tantas buenas hazañas en nuestro pro y que desde hace tres siglos, señora, recorre como un fantasma de la melancolía, echando de sí una sombra angulosa, descompasada y tragicómica, los sueños holgazanes, pesados de sol, de los cerebros españoles. Don Quijote de la Mancha tiene a su vera un aldeano de ojos picantes y gruesa nariz que se llama Sancho Panza o Sancho Zancas.

Señora, ¿qué falta? Aquí está toda la Humanidad representada: hay trabajadores, estudiantes, curiosos, muertos y locos. Señora, ¿qué falta?

Falta esta figura agilísima que, impensadamente, se ha alzado de entre las carrascas, sobre las breñas. Es una pastora tal y como las hemos visto dibujadas por tosca mano en las cubiertas de las églogas que compuso Juan del Encina, canónigo de la iglesia de Málaga. Destaca la esbelta forma de su cuerpo sobre el cielo azul del cielo; lleva sobre sus cabellos un ancho sombrero; en la mano, un cayado; la falda le llega a media pierna. Esta es Marcela, que viene a defenderse de las culpas que ciertos descontentos tratan de echar sobre sus hombros, sobre los hombros de Marcela, que deben de ser redondos, blancos y un poco inquietos.

Don Quijote, a quien todas las cosas prodigiosas atraen irresistiblemente, abre unos ojos pardos de vivo mirar y pone en ellos promesas de amparo y seguridades de vencimiento. Ya ha visto él que aquello se resolverá en una aventura, y ¡qué hermosa aventura! Señora —entre paréntesis—, un hombre para quien todo en la vida es aventura es un grande hombre; para él cada rostro, cada palabra, cada rumor, es una ventana que se abre sobre lo maravilloso, y la gran ocupación de los más nobles humanos ha sido siempre dar con esa ventana para arrojarse al través de ella y escapar así de la mortal atonía de la vida llevadera. Las aventuras no se hallan, no existen fuera de los grandes hombres: ellos las inventan, las crean, las forjan, con su ánimo siempre al rojo blanco. El 18 brumario iba a ser un día como otro cualquiera en que los franceses se levantarían, comerían, harían una frase, venderían unos géneros y se acostarían después, Pero Napoleón, siendo muchacho, soñó una vez con el 18 brumario, y el 18 brumario fue. Una manzana cae del árbol. ¿Es ello una aventura por lozano que esté el fruto? Pero el terrible inglés Newton acierta a pasar y acontece una aventura tan fragorosa que hizo castañetear los dientes de todos los sabios de la Tierra.

Mientras hago estas consideraciones, Marcela ha empezado a hablar. Proclama su independencia con decisivas palabras: «Yo nací libre —dice—, y para poder vivir libre escogí la soledad de los campos.» Con gallardo orgullo se reconoce los primores de alma y de cuerpo que le han sido otorgados. «Yo conozco —exclama—, con el natural entendimiento que Dios me ha dado, que todo lo hermoso es amable; mas no alcanzo que por razón de ser amado esté obligado lo que es amado por hermoso a amar a quien le ama; y más que podría acontecer que el amador de lo hermoso fuese feo, y siendo lo feo digno de ser aborrecido, cae muy mal el decir: Quiérote por hermosa, hasme de querer por feo.» ¡Bravo, moza! Un poco intrincado es lo que hemos oído, pero ¿qué importa? Ya sabemos que es falso ese carcomido proverbio de los antiguos filósofos: la verdad es sencilla. «¿No será esto una doble mentira?», pregunta un alemán de genio. ¡Bravo, moza! Ese *yo* que esa muchacha planta como una lanza entre sus palabras va a alborozar a todos los grandes muertos castellanos. Señora, presumo que Marcela acabará fundando una religión, escribiendo un hermoso libro acerca de sí misma o haciendo feliz a un rey conquistador.

El pueblo donde vivía Marcela llevaba una existencia sorda, monótoma, infecunda, de iguales y laxas jornadas; años y años habían pasado sobre los viejos techos soleados, habían goteado sus meses y sus días y sus horas lentamente sobre los hogares, donde se hacía un yantar análogo, en cuyo derredor se oían las mismas palabras indolentes, repetidas millones de veces, ya vanas, ya marchitas del uso; a los viejos se les apagaban las vidas sencillamente, como se apagaban por sí mismos los velones de las portaladas; los hombres maduros salían a la calle a la misma hora todas las mañanas, daban los mismos pasos hasta sus pegujales, tornaban con los mismos clamores contra las nubes codiciosas; los mozos abandonaban por algunos años el lugar y volvían al cabo de ellos con unos cuantos libros y unas pocas de malicias; el tiempo seguía su larga carrera y los libros se llenaban de polvo, y las malicias se secaban en las testas, que iban dejando de ser jóvenes, como se secan los tomillos colgados en los desvanes entre los jamones y la chacina. La vida era pobre, miserable y, por consiguiente, ruin, amarillenta de envidias seculares, de envidias entumecidas.

Pero un día esta garrida criatura, sobrina del cura, la que tiene al caminar por la plaza, cuando va a misa, modales tan enérgicos y hasta algo duros, se arranca a la vida amodorrada de sus parientes y amigas, fíngese pastora y busca en la soledad de los campos un vivir dorado al sol, libre al aire y expuesto a mil mudanzas. ¡Oh señora, esta valerosa mujer se ahoga de monotonía, de silencio, de vida roma! Todas las de su pueblo son una misma mujer que ahora es nuera, luego es madre y por fin abuela. Ella siente dentro de su oscura conciencia de aldeana un gran deseo de ser distinta de todas, de hacer una vida muy otra, de ser ella misma. Tiene la mirada de acero de los caracteres ariscos e independientes; piensa realizar esa bella acción de fingirse pastora —acaso ha leído alguna novela bucólica tan del gusto de la época. ¿La *Diana* de Montemayor, por ventura, o la propia *Galatea* de Cervantes? ¿Habrá quien suponga que en aquel instante Marcela tuvo un monólogo angustiador pensando si estaría bien o estaría mal aquel designio suyo? Yo digo que no lo tuvo; quien interrumpa un movimiento de su voluntad con este examen frío y crítico de lo que se va a realizar —examen muy recomendado por Ignacio de Loyola y los padres jesuitas— se queda, señora, sin ser pastor.

Allá se fue, libre y selvática, triscando por los campos hoscos, hinchándose el ánimo con los secretos de la tierra, dejando su espíritu morirse con el sol poniente que cae herido entre unas nubes misteriosas y compactas; renaciendo con la luz y entregándose a la expansión nerviosa o sentimental que necesitan las almas intensas, las cuales no se contentan con vivir su propia vida, sino que han de alentar en otros seres. Y así ella vivía en las aguas tembladoras, en las carrascas de hojas crujientes, en las ancianas peñas de colores legendarios, cárdenas y verdosas; en alguna alta haya de somnolente, brumosa pompa; en fin, en su hato, que era como ella misma deshecha en balidos, en son de esquilas, en brincos graciosos, en mordisqueos a las cortezas de los árboles. Sin duda le cantaría lentísimamente, sílaba a sílaba, con sus rojos labios tan crudos para los hombres, aquellos versos divinos, hechos con nata y con vellones del viejo Lope de Rueda:

> Anday, mi bronco ganado
> por la frondosa ribera,
> no vais tan alborotado,
> seguid hacia la ladera
> deste tan ameno prado.
> Gozad la fresca mañana
> llena de cien mil olores,
> paced las floridas flores
> por las selvas de Diana,
> por los collados y alcores...

Mucho debió de murmurarse en el pueblo, porque en los pueblos una acción noble y nueva empieza siempre por ser una mala acción o, cuando menos, una acción loca. Señora, en cierto modo los pueblos son una institución perjudicial.

Entonces ocurrió en el de Marcela una cosa extraordinaria. Algunos mozos comenzaron a sentir que les ganaba el ánimo un extraño desasosiego: la recia voluntad de la cerrera virgen había sido aguijón y sacudida para la modorra de sus espíritus. Marcela les inquietaba con su decisión más que con su hermosura, que era pasmosa. Pensaron —idea novísima en ellos— que su vida no era vida, que era mejor dar un poco de fantasía y de variedad a aquel idéntico llegar y huir de las semanas. Y Marcela se convirtió en el *ideal* de todos estos mancebos.

El más decidido echóse al campo y, vestido también al modo pastoril, persiguió con su amor a Marcela inútilmente. Tras él dejó el pueblo otro, y otros muchos; entre ellos este desgraciado Crisóstomo, que dio en la funesta manía de dolerse en endecasílabos:

> Ya que quieres, cruel, que se publique
> de lengua en lengua y de una en otra gente
> del áspero rigor tuyo la fuerza...

El caso era inaudito: ricos y pobres, leídos e ignorantes, por la aldea pasó como un escalofrío de mañana de abril que despertó sus pasiones, exaltó a los bisoños, hizo temblar a los viejos, puso melancólicos a los de mediana edad, indignó a algunos y mantuvo al pueblo entero en un estado de alma heroico y vibrante. Todo ello porque una moza tenía el espíritu «áspero» e independiente, al paso que su piel era suave y blanca y tibia.

¿No es cierto que si en aquel punto se hubieran acercado contra el lugar unos enemigos, a un grito de Marcela todos aquellos ánimos distensos y enloquecidos, arrojados a las aventuras y a la exaltación, habrían caído sobre ellos galanamente? ¿No es cierto que a una voz de Marcela, si el cielo se había mostrado desdeñoso y olvidadizo con las resecas tierras que se abrían de sed, aquellos hombres hubieran acarreado desde diez leguas a la redonda cientos de miles de cántaras plenas, rebosantes de agua limpia y gloriosa con que regar los mustios trigales infinitos?

¿No es cierto?... Señora, la retórica de Marcela es mucho más agradable que la mía. Aquí, ante los ojos atónitos de Don Quijote, y los picantes de Sancho, y los enardecidos de los estudiantes, y los embobados de los cabreros, y los rencorosos de Ambrosio, amigo de Crisóstomo, Marcela recita su manifiesto. Es el manifiesto de la eterna mujer fuerte, de corazón bizarro y lengua franca. Su lógica es rígida; sus conclusiones, firmes como troncos de encina. Por su amor ha muerto un hombre. ¿Tiene ella la culpa de no amarle? ¿Estuvo en su mano hacer de aquel doliente Crisóstomo un hombre digno de ser por ella amado? ¿Su hermosura es fuego; su aspereza mata? Ella está sola por altos y cañadas: huye de donde puede causar estragos. ¿Qué culpa tiene ella, señora? «¡Fuego soy —dice en el momento sublime de su arenga—, fuego soy apartado y espada puesta lejos!» A Don Quijote, cuando esto oye, le retiemblan todos sus sueños dentro de la celada maltrecha; Sancho no acaba de entender. Los estudiantes bajan al suelo rojo las pupilas. Un cabrero enjuga con su brazo empellejado tal gruesa lágrima que rueda entre su barba sin hacer. Y por sobre las breñas, agitando los cabellos de la pastora, pasa revolando ese vientecico brusco, agudo, de Castilla, cargado de aromas de tomillo y de romero y de cantueso, que pone eréctiles los nervios y pone estallando el arco de la voluntad.

«Fuego soy apartado y espada puesta lejos.» Marcela, al decir esto, ha ungido las palabras de ironía. Bien sabe ella que el fuego apartado atrae, hace señas embrujadas en lo lejano, promete historias y revelación de secretos y va tendiendo en la noche sus tapices de fantásticas sombras; bien sabe ella que una espada puesta lejos rebrilla al sol que es un placer y abre en el más pacífico de los hombres el deseo de llegarse y ponérsela al costado. ¡Qué cosas pensaba la sobrina del cura de aquel pueblo!

«Fuego soy apartado y espada puesta lejos.» Señora, tengo, hace tres días, presa la memoria por este versículo, que podía ser el primero de una biblia para las mujeres españolas.

Si yo fuera escritor feminista, qué sabias moralejas deduciría del manifiesto de Marcela, señora.

Leipzig, 24 marzo 1905.

[Publicado en el libro póstumo *Sobre el amor. Antología*, 1.ª edición, Madrid, 1957.]

LA POESIA DE ANA DE NOAILLES

Hablemos un poco en torno a la más poética de las condesas y la más condesa de las poetisas. Ana de Noailles es hoy la hilandera mayor del lirismo francés. Con un fuego ejemplar, laboriosa, constante, hila cada lustro los versos de un libro que es siempre parejo a los anteriores —tan bello, tan cálido, tan voluptuoso. Diríase que el libro precedente se deshizo y fue necesario volverlo a tejer. Ana de Noailles es, literariamente, Penélope.

El postrer volumen se llama *Las fuerzas eternas*. Estas fuerzas eternas son, ante todo, el amor y la muerte. No se crea, sin embargo, que ha esperado la condesa hasta ahora para cantar esas potencias esenciales. Toda su obra ha gravitado siempre hacia ellas, basculando deleitablemente de la una a la otra.

Son cuatrocientas páginas de apretada poesía. Llega a nosotros el libro atestado de flores, de astros, de abejas, de nubes, golondrinas y gacelas. Cada poeta tiene un repertorio de objetos que son sus utensilios profesionales. Como el lañador trashumante viaja con su berbiquí y sus alambres, la condesa necesita desplazarse con toda esa impedimenta para poder operar sus preciosas fantasmagorías. Sobre cosas tan bonitas no es posible decir cosas más bonitas:

> *L'abeille aux bonds chantants, vigouresement molle,*

parece en sus vuelos perseguirse a sí misma.

La golondrina pasa con sus gritos de pájaro que alguien asesina:

> *Je connais bien ce cri brisant de l'hirondelle*
> *Comme une flèche oblique ancrée au coeur du soir.*

Los campanarios son dulces colmenas de abejas argentinas.

Las ranas son cigarras de la onda.

La lluvia es un sol que juega con rayos de metal.

En el viaje,

> *Tes rêveuses prunelles*
> *Contemplaient l'horizon, flagellé et chassé*
> *Par le vent, qui, cherchant ton visage oppressé,*
> *Faisait bondir sur toi ses fluides gazelles.*

La campanilla que anuncia la cena da sus brincos de cabrilla loca atada a su cuerda.

En la noche limpia, los astros son fragmentos de día.

Hay en los versos de Ana de Noailles, lo mismo que en su prosa, una excesiva y monótona preocupación por el amor. El amor es todo; dice varias veces en este volumen:

> *Amour, tâche pure et certaine,*
> *Acte joyeux et sans remord;*
> *Le seul combat contre la mort,*
> *La seule arme proche et lointaine*
> *Dont dispose, en sa pauvreté,*
> *L'être hanté d'éternité.*

Este erotismo tan exclusivista fatiga un poco al lector que no posee una disposición tan continuada para el deliquio apasionado. Al resbalar por estas páginas

pensamos más de una vez que se trata de una curiosa
ilusión óptica padecida por este poeta. No es que el
amor sea todo en verdad, sino que la elocuencia poética
sólo brota en Ana de Noailles de estados de ánimo
voluptuosos.

> *Plus je vis, oh mon Dieu, moins je peux exprimer*
> *La force de mon coeur, l'infinité d'aimer,*
> *Ce languissant ou bien ce bondissant orage.*
> *Je suis comme l'étable où entrent les rois mages*
> *Tenant entre leurs mains leurs cadeaux parfumés.*
> *Je suis cette humble porte ouverte sur le monde;*
> *La nuit, l'air, les parfums et l'étoile m'inondent.*

Esta perpetua cantinela voluptuosa fluye como un río
denso por el cauce del verso. No es, pues, propiamente
amor; es simplemente voluptuosidad. Sus metáforas son
casi siempre del mismo tipo; en casi todas se alude al
estremecimiento erótico y repercute el espasmo. El alma
que en esta poesía se expresa no es espiritual; es, más
bien, el alma de un cuerpo que fuera vegetal.

Si intentamos imaginar el alma de una planta, no
podremos atribuirle ideas ni sentimientos: no habrá en
ella más que sensaciones, y aun éstas, vagas, difusas,
atmosféricas. La planta se sentirá bien bajo un cielo
benigno, bajo la blanda mano de un viento suave; se
sentirá mal bajo la borrasca, azotada por la nieve
inverniza. La voluptuosidad femenina es acaso, de todas
las humanas impresiones, la que más próxima nos
parece a la existencia botánica.

Ana de Noailles siente el universo como una magnolia, una rosa o un jazmín. De aquí su prodigiosa
sensibilidad para los cambios atmosféricos, climas,
estaciones. No obstante su insistencia amorosa, es
revelador que el hombre no aparece nunca dibujado en
el fondo aéreo de esta poesía. En cambio, actúan los
entes anónimos y difusos: el viento, la humanidad, el
azul, el silencio.

Le flot léger de l'air vient par ondes dansantes...

¿No es ésta una idea que cabe muy bien en el corazón de una amapola?

Y en otro lugar:

> *Les vents légers ont ce matin*
> *Cette odeur d'onde et de lointain*
> *Qu'ont les vagues contre les rives.*

Otra vez habla del «secreto olor metálico del frío» y del «jovial olor de la nieve», o reconoce en el viento los aromas de que en su viaje se ha cargado, como en el vino se sabe del odre. Olores, sabores, contactos —esto son sus paisajes. El contorno visual falta casi siempre: sería demasiado humano, demasiado «espiritual» para este genio vegetativo. Es divinamente ciega, como una camelia.

Una vez filiada como planta sublime, no nos extraña que sea «rebelde al otoño» y le dedique un sincero vejamen:

> *Je ne vous aime pas, saison mélancolique...*

Se trata de una condesa eminentemente estival. En sus paisajes, todo es verano; a lo sumo, un estío que se acuerda de su infantil primavera o se asoma a la vertiente declinante de su otoño. Esta poesía vive exenta de invierno. Lo que más abunda en ella es el cielo pulimentado. Imaginamos a la condesa con un vago gesto de criolla, sentada al balcón, sobre un jardín, bebedora de azul.

> *Certes, rien ne me plaît que tes étés, ô monde!*

Magnolia, rosas, jazmín, le sabe la tierra húmeda, paladea las brisas y se estremece cuando pasa en el caz, temblando, el agua andarina.

De paso, flirtea con la nube transeúnte:

La nuit, me soulevant d'un lit tiède et paisible,
M'accoudant au balcon, j'interrogeais les cieux,
Et j'échangeais avec la nue inaccessible
Le langage sacré du silence et des yeux.

Porque hay en este lirismo vegetal un poro, al través del cual sorprendemos que dentro de la planta hay una mujer, mejor, una alta dama. Y es que primavera, estío, azul de cielo, aura de septiembre, vaho abrileño de lluvia, todo lo recibe como si se tratase de caricias que le fuesen personalmente dedicadas. Nos habla «del cielo que alarga sus lácteas caricias», o bien comienza una composición de esta suerte:

Charme d'un soir de mai, que voulez vous me dire?
Comme un corps plein d'amour vous venez contre moi...

Con todo esto, una cosa debe quedar taxativamente dicha: la poesía de la Noailles es espléndida. Tal vez no haya habido en todas las literaturas modernas otra mujer dotada de parejo ímpetu poético. Las observaciones que acabo de hacer no son propiamente reparos, más bien, subrayan y definen la calidad de su admirable estilo. Sin embargo, o tal vez por lo mismo, asoma durante la lectura a nuestro ánimo, irreprimible, una pregunta perturbadora.

¿Hasta qué punto puede alojarse en la mujer la genialidad lírica? La cuestión es poco galante y corre riesgo de suscitar en contra todas las banalidades del feminismo. No obstante, algún día será preciso responder a esta pregunta con toda claridad. Por ahora, permítaseme una ligera indicación. El lirismo es la cosa más delicada del mundo. Supone una innata capacidad para lanzar al universo lo íntimo de nuestra persona. Mas, por lo mismo, es preciso que esta intimidad nuestra sea apta para semejante ostentación. Un ser cuyo secreto personal tenga más o menos carácter privado producirá una lírica trivial y prosaica. Hace falta que el último núcleo de nuestra persona sea de suyo como impersonal y éste, desde luego, constituido por materias trascendentes.

Ahora bien: estas condiciones sólo se dan en el varón. Sólo en el hombre es normal y espontáneo ese afán de dar al público lo más personal de su persona. Todas las actividades históricas del sexo masculino nacen de esta su condición esencialmente lírica. Ciencia, política, creación industrial, poesía, son oficios que consisten en dar al público anónimo, dispersar en el contorno cósmico lo que constituye la energía íntima de cada individuo. La mujer, por el contrario, es nativamente ocultadora. El contacto con el público, con el derredor innominado, produce automáticamente en la mujer normal un cauto hermetismo. Ante «todos», el alma femenina se cierra hacia dentro. Al revés que el hombre, el cual, en la relación privada o individual con otro semejante —una mujer u otro varón—, es siempre insincero, torpe e insignificante. Es vano oponerse a la ley esencial y no meramente histórica, transitoria o empírica, que hace del varón un ser sustancialmente público y de la mujer un temperamento privado. Todo intento de subvertir ese destino termina en fracaso. No es azar que la máxima aniquilación de la norma femenina consista en que la mujer se convierta en «mujer pública», y que la perfección de la misión varonil, el tipo más alto de existencia masculina, sea el «hombre público».

Ese mecanismo de sinceridad que mueve al lirismo, ese arrojar fuera lo íntimo, es en la mujer siempre forzado, y si es efectivo, si no es una ficticia confesión, sabe a cínico. Conviene a este propósito recordar que ha habido un género literario donde sólo han descollado mujeres y donde siempre el hombre ha fracasado: el género epistolar. Es él la única forma privada de la literatura y, como tal, estaba predispuesto para la mujer. En cambio, el hombre no acierta a escribir cartas, porque, sin darse cuenta, convierte al corresponsal en todo un público y hace ante él gestos de escenario. Cuando se da el caso de que una mujer posea facilidad y gracia bastantes para transmitir a la muchedumbre su secreto personal de una manera convincente y auténtica, descubrimos que esa intimidad femenina, tan deliciosa bajo la luz de un interior, puesta al aire libre resulta la cosa más pobre del mundo. La personalidad de la mujer es, más bien, un género que un individuo. Me parece vano querer cegarse ante esta evidente realidad, que explica tan bien la labor de la mujer en la Historia y la perpetua mala inteligencia interpuesta entre ambos sexos. Ello es que la mejor lírica femenina, al desnudar las raíces de su alma, deja ver la monotonía del eterno femenino y la exigüidad de sus ingredientes.

La pintura se ha encontrado sorprendida por la misma experiencia. En el retrato se plantea el problema de crear plásticamente una individualidad, una figura que afirme su carácter único, insustituible, señero. Para ello hace falta que el pincel sea capaz de individualizar su objeto; pero, además, que éste sea de suyo individual y no igual a otros muchos, mero representante de un tipo. Y acaece que, si hay pocos verdaderos retratos de hombre, puede decirse que no hay ninguno de mujer. El retrato femenino es la desesperación de la pintura. El artista se ve forzado, para singularizar la fisonomía copiada, a acumular distintivos ornamentales, buscando en el traje diferenciaciones que faltan en la persona. La mujer es para el pintor, como para el amante, una promesa de individualidad que nunca se cumple.

Si hubiese habido mayor número de mujeres dotadas de los talentos formales para la poesía, sería patente e indiscutido el hecho de que el fondo personal de las almas femeninas es, poco más o menos, idéntico.

No es, por tanto, nada extraño que en Ana de Noailles, postrera poetisa, hallaremos una rara coincidencia con la primera mujer versipotente: con Safo, la de Lesbos.

En los escasos fragmentos que de ésta nos han conservado se enuncian exactamente los mismos temas e igual modulación que en nuestra musa contemporánea:

> Como el viento resbala por las laderas
> y resuena entre los pinos,
> así estremece Eros mi corazón.

(Fragmento 42.)

De nuevo Eros me atormenta, Eros que adormece los miembros, monstruo agridulce, irresistible...

(Fragmento 40.)

La misma sensibilidad para el contorno cósmico que en versos antes citados transparece en estos otros, viejos de casi tres mil años:

> La luna y las pléyades han declinado,
> es media noche;
> hace mucho que pasó la hora...;
> hoy he de yacer solitaria.

Melancólica queja de una mujer tambien «rebelde al otoño», para quien ha pasado la hora incendiada del amor.

> *Un radieux effroi fait trembler mes genoux,*

entona la Noailles.

> Un temblor se apodera de mí toda,

entona Safo.

> *Deux êtres luttent dans mon coeur;*
> *C'est la bacchante avec la nonne.*

¿Se ha conocido alguna vez una mujer que no sostenga llevar dos dentro de sí? Centauresa de bacante y de monja, no hace la Noailles sino repercutir el verso solitario de Safo:

No sé lo que hago: hay en mí dos almas.

Las dos mujeres divinas, situadas a ambos extremos del destino europeo, sienten la fuerza anónima del silencio con inesperada coincidencia. La actual «observa, tenso el espíritu, como un cazador, el curso ilimitado y puro del silencio». La antigua, con mayor modernidad, dice sólo esto: «La noche está llena de orejitas que escuchan.»

Culmina este paralelismo en haber dicho Safo de sí misma que era pequeña y morena: *mikrà kai mélaina*. La condesa de Noailles no lo dice, pero lo es maravillosamente.

Revista de Occidente, julio 1923.

EPILOGO AL LIBRO «DE FRANCESCA A BEATRICE»[1]

Señora:

La excursión ha sido deliciosa. Nos ha guiado usted maravillosamente por esta triple avenida de tercetos estremecidos poniendo aquí y allá, con leve gesto, un acento insinuante que daba como una nueva perspectiva al viejo espectáculo. Claro que algunas veces nuestra mirada dejaba las figuras de Dante para atender a los gestos de usted, después de todo, lo mismo que hizo a menudo el poeta con su mejor guía. ¡Qué le vamos a hacer! Un apetito, tal vez inmoderado, de actualidad me hacía preferir al viejo espectáculo, genial pero exangüe, este otro nuevo que era la reflexión de aquél en usted. Ni creo que Dante redivivo hallase en ello ocasión para la censura. Era demasiado doctor en voluptuosidades para ignorar esta duplicada delicia que es, a veces, no mirar el mundo por derecho, sino oblicuamente, reflejado en las variaciones de un semblante. Cierta vez habla —¡sie-

[1] *De Francesca a Beatrice,* por Victoria Ocampo, editorial *Revista de Occidente,* Madrid, 1924.

te siglos antes que Heredia!— de que ve espejada en una pupila la nave que desciende corriente abajo. (Par. XVII, 41-42.) ¡Grave confesión, no es cierto! Porque ella supone ineludiblemente la experiencia de inclinaciones muy próximas sobre ojos muy dóciles. Y nos complace sorprender a nuestra lírica hiena en tal dulce intimidad, geógrafo de ríos que fluyen por pupilas, piloto de naves que bogan niña adentro. Este verso encierra un dato biográfico de una indiscreción ejemplar y es un documento auténtico en la hoja de servicios sentimentales prestados por el poeta. Como luego hablaremos de su táctica de distancia, bueno es que ahora subrayemos sus hazañas de proximidad. Fue un bravo en amor, a pesar de su timidez. Se acercó a la brecha peligrosa. Porque un barco en la líquida ensenada de una pupila es cosa tan menuda que sólo se ve asomándose muy de cerca al mágico iris. Viene a ser, a la inversa, el caso referido por Plutarco. Mientras los demás guerreros van al combate con grandes y llamativas empresas pintadas en sus escudos, hay uno que lleva sólo representada una mosca. «¡Eres un cobarde! —le imputan los demás. ¡Quieres pasar desapercibido y que tu empresa no haga acercarse al enemigo!» «Todo lo contrario —responde, sereno, el denostado—. Es que pienso acercarme yo tanto a él que, quiera o no, tendrá que ver la mosca.»

Pero es claro que este detalle biográfico de orden tan íntimo, y, por lo mismo, bastante trivial, no nos sirve a los amigos de usted para justificar mediante el propio poeta el desliz de nuestra atención si al leer este libro ha ido hacia usted con más frecuencia y curiosidad que al poema venerable. La justificación desciende recta sobre nosotros desde más altas esferas y se nutre del principio más dantesco de todos.

Es usted, señora, una ejemplar aparición de feminidad. Convergen en torno a su persona con gracia irradiante las perfecciones más insólitas. ¿Cómo no ha de excitar nuestra curiosidad verla descender al cosmos alucinado de Dante, donde están todas las formas de la existencia humana? El viaje ultramundano que tantas veces hemos hecho cobra de esta manera un nuevo dramatismo y se puebla de sugestivas peripecias. Porque es su corazón, señora, un nido de perfectos entusiasmos y rigorosos desdenes. ¡Qué placer seguirla y presenciar el vuelo de unos y otros sobre el paisaje, advertir dónde se detiene su cordialidad y dónde, en cambio, sesga, con pie ágil, como en deliberada fuga! Cada uno de sus movimientos tiene para nosotros un sentido normativo, porque en él se aventa el secreto de sus aprobaciones y repulsas.

¿Y no es esto —la mujer como norma— el gran descubrimiento de Dante? Es una pena que la influencia peculiar de la mujer en la historia sea un asunto intacto y de que la gente no sabe nada. Verdad es que tampoco se ha ensayado aún la historia del sentimiento masculino hacia la mujer. Se supone que, poco más o menos, fue siempre el mismo, cuando en realidad ha seguido una evolución lenta y accidentada, llena de invenciones y retrocesos.

Por lo pronto, fuera bueno hacer notar que la historia ha avanzado según un ritmo sexual. Hay épocas en que predominan los valores masculinos y otras en que imperan los valores de feminidad. Para no hablar sino de nuestra civilización, recuerde usted que la primera Edad Media fue un tiempo varonil. La mujer no interviene en la vida pública. Los hombres se ocupan en la faena guerrera y, lejos de las damas, los compañeros de armas se solazan en bárbaras fiestas de bebida y canción. La segunda Edad Media —a mi paladar, la edad más atractiva del pasado europeo— se caracteriza precisamente por la ascensión sobre el horizonte histórico del astro femenino. Muy bien lo indica usted al cerrar su comentario aludiendo a las «cortes de amor». Aún no se ha situado en su debido rango histórico esta cultura de la «cortezia» que florece en el siglo XII y que es, a mi juicio, uno de los hechos decisivos en la civilización occidental. De la «cortezia» salieron San

Francisco y Dante, la corte papal de Avignon[1] y el Renacimiento, en pos del cual se apresura toda la cultura moderna. Y esta gigantesca cosecha procede íntegra de la audacia genial con que unas damas de Provenza afirmaron una nueva actitud ante la vida. Frente al doble ascetismo, igualmente abstruso, del monje y el guerrero, estas mujeres sublimes se atreven a insinuar una disciplina de interior pulimento e intelectual agudeza. Bajo su inspiración renace la suprema norma de Grecia, el *metron,* la «medida». La primera Edad Media es como el varón, toda exceso. La *lei de cortezia* proclama el nuevo imperio de la «mesura», que es el elemento donde alienta la feminidad.

Como un óleo de espiritual suavidad se derrama este imperio de mesura, de comedimiento, hasta los lugares más remotos. Es conmovedor sorprender en tierra tan áspera como nuestro rudo *Poema de Myo Cid* versos con este vocabulario:

Fabló Myo Cid bien e tan mesurado.

Esta mesura llega a la bronca gesta castellana de las remotas Cortes provenzales donde viven armoniosamente unas hembras civilizadoras. Parejamente, Carlota de Stein liberta a Goethe de su atroz teutonismo juvenil. Por eso suele llamarla la «domesticadora» y aconsejarnos: «Si quieres saber lo que es debido en cada caso, ve a la tierra de las mujeres.»

---

[1] No es suficientemente conocido el hecho de haber sido esta Corte papal francoitaliana la ocasión primera en que de modo habitual y establecido entraron las damas a formar parte de la «sociedad». De ella, pues, hay que datar propiamente ese organismo social que los hombres modernos han llamado «corte». Constituida la de Avignon en su mayor parte por dignatarios eclesiásticos, en consecuencia, por célibes, apareció un tipo original de mujeres que llevaban una vida independiente y cultivada. Para ellas se acuña, por vez primera, la palabra «cortesanas». ¡Pero sea denostado quien piense mal! Una de ellas fue Laura de Novés, la amiga del Petrarca.

La mujer fue primero para el hombre una presa —un cuerpo que se puede arrebatar. A esta emoción venatoria sucede un sentimiento más delicado y de signo opuesto, que el griego no conoció bien[1]. Lo que en la mujer puede ser botín y presa que se toma de arrancada no satisface. Un mayor refinamiento del hombre le hace desear que la presa lo sea por espontánea impulsión. El botín de su feminidad, en rigor, no se posee si no se gana. La presa se torna premio. Y para alcanzarlo es preciso hacerse digno de él, adecuarse al ideal de hombre que en la mujer dormita. Por este curioso mecanismo se invierten los papeles: el eversor cae prisionero. Si en la época del mero instinto sexual la actitud del varón es predatoria y se arroja sobre la belleza transeúnte, en esta etapa de entusiasmo espiritual se coloca, por el contrario, a distancia, se orienta desde lejos en el semblante femenino para sorprender en él la aprobación o el desdén. La cultura de la «cortezia» inicia esta nueva relación entre los sexos, merced a la cual la mujer se hace educadora del hombre. Dante representa su culminación. La *Vita Nova* ha sido escrita trémulamente bajo la emoción de sentir el poeta que so el irreal cincel femenino se iba transformando en un hombre nuevo, Dante sólo aspira a la anuencia de Beatriz, a su aprobación. La vemos pasar siempre lejos, un poco amanerada y prerrafaelista. Al poeta sólo le preocupa si le saluda o no. Cuando Beatriz está displicente evita la salutación y Dante se estremece. *«Mi salutò —dice la primera vez que la vio— virtuosamente tanto che mi parve allora vedere tutti i termini della beatitudine.»* Y otro día: *«Conobbi ch'era la donna della salute, la quale m'avea lo giorno dinanzi degnato di*

---

[1] Sería importuno ensayar aquí un análisis, por breve que fuera, del sentimiento amoroso en Grecia. Desgraciadamente, señora, tanto en el país donde yo escribo como en el que usted respira, impera todavía en filisteísmo provincial tan estrecho, que no deja margen para hablar con elevada claridad sobre los temas más hondos de lo humano.

salutare.» Desde entonces vive Dante macilento, poseí-
do sólo *«per la speranza dell'ammirabile salute».*

Con su saludo y su desdén, como con dos riendas
invisibles, invisibles como los coluros astronómicos, rige
la cauta doncella la brava mocedad del poeta. Claro que
este poder tan mágico y casi incorpóreo sólo puede
residir en la mujer que se ha refinado —la que es *gentil e
non pura femmina,* dice con plena conciencia Dante.
Con ademán un poco excesivo de menospreciar la
carne, insiste en que si habla de los ojos *che sono
principio di amore* y de la boca *ch'è fine d'Amore,* se
evite todo mal pensamiento, *si levi ogni vizioso pensiero.
Ricordisi chi legge, che di sopra è scritto che il saluto di
questa donna, lo quale era operazione della sua bocca, fu
fine de'miei desideri, mentre che io lo potei ricevere.*

Dicen que San Francisco pudo vivir una semana
entera del canto de una cigarra. Dante de la boca y la
pupila toma sólo la mística electricidad de la sonrisa que
saluda. Esta sonrisa que va a aparecer tantas veces en la
obra posterior de Dante, este *disiato riso* es la sonrisa
gótica que perpetúan las oscuras vírgenes de piedra en
los portales de las catedrales europeas.

> *Chè dentro agli occhi suoi ardeva un riso
> tal, ch'io pensai co'miei toccar lo fondo
> della mia grazia e del mio paradiso.*

> (Par. XV.)

(Ardía en sus ojos una tal sonrisa, que pensé con los míos
llegar al fondo de mi beatitud y de mi paraíso.)

dice Dante hacia el fin de su obra vitalicia rizando el
rizo de sus emociones primigenias cuando mancebo
empezó la vida nueva.

El tema me apasiona, señora, y no acabaría nunca.
Pero permítame usted que no desaproveche la ocasión
para resumir mis pensamientos sobre la alta misión
biológica que a la hembra humana atañe en la historia.

Y ante todo, le ruego que no le disuene gravemente la aspereza de este vocablo —hembra humana. Espero de su mesura que muy pronto me concederá usted licitud para su uso, reconociendo que me es imprescindible.

La verdadera misión histórica de la hembra humana aparece sin claridad por olvidarse que la mujer no es la esposa, ni es la madre, ni es la hermana, ni es la hija. Todas estas cosas son precipitados que da la feminidad, formas que la mujer adopta cuando deja de serlo o todavía no lo es. Sin duda, quedaría el universo pavorosamente mutilado si de él se eliminasen esas maravillosas potencias de espiritualidad que son la esposa, la madre, la hermana y la hija —de tal modo venerables y exquisitas, que parece imposible hallar nada superior. Mas es forzoso decir que con ellas no están completas las categorías de la feminidad y que ellas son inferiores y secundarias si se emparejan con lo que es la mujer cuando es mujer y nada más.

Cada una de esas advocaciones del ser femenino se diferencia de las restantes y se define por su oficio eficaz. Nadie ignora lo que es ser madre y esposa, hermana o hija. Pues bien, ese cuádruple oficio conmovedor no existiría si la hembra humana no fuese además —y antes que todo eso— mujer.

¿Pero qué es la mujer cuando no es sino mujer?

Yo no podría responder a esta pregunta sin rectificar antes la tradicional noción de los ideales. Desde hace doscientos años, señora, se nos habla con abrumadora constancia del idealismo. Esta prédica de los ideales tan usada por filósofos y pedagogos —la afirmación de que la vida sólo vale puesta al servicio de los ideales—, cualquiera que sea la porción de verdad que encierre, manifiesta una concepción errónea de lo que éstos son y ha estorbado tanto en los últimos siglos que es urgente desvirtuarla. Se habla mucho del ideal de justicia, del ideal de verdad o de belleza, pero nadie se pregunta cómo tiene que ser algo para ser un ideal. No basta con encomiar patéticamente tal o cual norma para esclarecernos su operación de ideal. El de ayer ha dejado de serlo hoy para nosotros. La historia asiste al drama cien veces repetido de un ideal que germina, fructifica y fenece. ¿Cómo es esto posible, si no ha variado su contenido, su trascendencia objetiva? Evidentemente es un error considerar a los ideales sólo en sí mismos, aparte de su relación con nosotros. No basta que algo sea perfecto para que sea, en verdad, un ideal. El ideal es una función vital, un instrumento de la vida entre otros innumerables. Podrán la ética y la estética definir en cada momento qué figuras merecen funcionar como ideales, pero cuál sea el ministerio mismo del ideal sólo podemos aprenderlo de la biología.

Diríase que son los ideales cosas ajenas, sublimes, a la vida y que ésta cuando asciende a ellos sale de sí misma y se eleva sobre su modesta órbita natural. No comprenden los que favorecen tal equívoco el daño que hacen a su propio idealismo. Porque dejan suponer que la vida, por sí, pudiera funcionar sin intervención alguna de los ideales, de modo que éstos serían la quinta rueda del carro y un añadido tan honroso como superfluo.

Yo creo, señora, que no hay nada de eso. La vida, toda vida, por lo menos toda vida humana, es imposible sin ideal, o, dicho de otra manera, el ideal es un órgano constituyente de la vida.

La nueva biología va mostrando que el organismo vivo no se compone sólo del cuerpo y su alma. Cuerpo y alma, el conjunto de nuestra persona, no son sino un sistema de órganos materiales y espirituales; por consiguiente, un sistema de aparatos que funcionan. La vida consiste en un sistema de funciones corporales y psíquicas, de operaciones, de actividades. Estas actividades, inmediata o mediatamente, se dirigen al mundo en torno, desembocan en él. La pupila ve los objetos del paisaje y la mano avanza para apoderarse de ellos. Pero sería un error suponer que el mundo en torno, lo que llamamos el medio, está ahí meramente para recibir nuestras actividades según se van ejecutando. Cada día se hace más patente que las actividades del organismo, incluso las más elementales, como la nutrición, no funcionan si no son excitadas. Para el ser vivo es, pues, la excitación o estímulo lo primordial. Todo lo demás depende de ella hasta el punto que podría decirse: vivir es ser excitado. Pues bien, el medio antes que otra cosa viene a ser el almacén de los estímulos, el arsenal de las excitaciones que operando incesantemente sobre nuestro organismo suscitan el dinámico torrente que es la vida. Cada especie y aun cada individuo posee su medio propio: la avispa con sus ojos de seis mil facetas ve otras cosas que nosotros, tiene un medio visual distinto y, por tanto, recibe diferentes excitaciones.

Esta sencilla observación nos indica que el medio no es algo externo al organismo biológico, sino que es un órgano de él, el órgano de la excitación. La vida así considerada se nos ofrece como un enérgico diálogo con el contorno en el cual nuestra persona es un interlocutor y otro el paisaje que nos rodea. Y así como la presión atmosférica, la temperatura, la sequedad, la luz excitan, irritan nuestras actividades corporales, hay en el paisaje figuras corpóreas o imaginarias cuyo oficio consiste en disparar nuestras actividades espirituales que, a su vez, arrastran en pos el aparato corporal. Esos excitantes psíquicos son los ideales, ni más ni menos. Cese, pues, la vaga, untuosa, pseudomística plática de los ideales. Son éstos, en resolución, cuanto atrae y excita nuestra vitalidad espiritual, son resortes biológicos, fulminantes para la explosión de energías. Sin ellos la vida no funciona. Nuestro contorno, que está poblado, no sólo de cosas reales, sino también de rostros extraterrenos y hasta imposibles, contiene un repertorio variadísimo de ellos. Los hay mínimos, humildes, que casi no nos confesamos; los hay gigantescos, de histórico tamaño, que ponen en tensión nuestra existencia entera y a veces la de todo un pueblo y toda una edad. Si el nombre de ideales quiere dejarse sólo para estos mayúsculos no hay inconveniente con tal de recordar que lo que tienen de ideales no es lo que tienen de grandes, no es su trascendencia objetiva, sino lo que tienen de común con los más pequeños estímulos del vivir: encantar, atraer, irritar, disparar nuestras potencias. El ideal es un órgano de toda vida encargado de excitarla. Como los antiguos caballeros, la vida, señora, usa espuela. Por esto, la biología de cada ser debe analizar no sólo su cuerpo y su alma, sino también describir el inventario de sus ideales. A veces padecemos una vital decadencia que no procede de enfermedad en nuestro cuerpo ni en nuestra alma, sino de una mala higiene de ideales.

Con esto venimos a la siguiente conclusión: para que algo sea ideal no basta que parezca digno de serlo por razones de ética, de gusto o conveniencia, sino que ha de tener, en efecto, ese don de encantar y atraer nuestros nervios, de encajar perfectamente en nuestra sensibilidad. De otra suerte será sólo un espectro de ideal, un ideal paralítico incapaz de tender la ballesta del ímpetu. De las dos caras que el ideal tiene, sólo se ha entendido hasta ahora la que da a lo absoluto y se ha olvidado la otra, la que da hacia el interior de la economía vital. Con la palabra más vulgar de «ilusiones» solemos expresar ese ministerio atractivo que es la esencia del ideal.

Ahora podría más a placer contestar a la pregunta anterior. El oficio de la mujer, cuando no es sino mujer, es ser el concreto ideal («encanto», «ilusión») del varón. Nada más. Pero nada menos. Puede un hombre amar con insuperable fervor a la madre, esposa, hija o hermana sin que haya en su sentimiento la menor tonalidad de ilusión. Por el contrario, puede sentirse ilusionado, encantado, atraído, sin que experimente nada de eso que propiamente llamamos amor filial, paterno, conyugal o fraternal. Las mujeres, con su aguda intuición, distinguen perfectamente cuándo en las emociones que suscitan existe ese matiz de la ilusión y, en el secreto de su ánima, sólo entonces se sienten halagadas y satisfechas. Decía Ramón Campos, un fino escritor español de fines del siglo XVIII, que «sólo una cosa puede llenar por completo el corazón del hombre, y es el corazón de la mujer».

De suerte que la mujer es mujer en la medida en que es encanto o ideal. Una madre perfecta será un ideal de madre, pero ser madre no es ser ideal. Las varias advocaciones de la hembra humana son pues, claramente distintas y llevan adscrito cada una un repertorio diferente de gracias y virtudes. Cabe que la esposa, la madre, la hermana, la hija sean perfectas sin que posean perfecciones de mujer, y viceversa.

Por otra parte, se advierte que la encantadora misión de la mujer es el principio que hace posibles las restantes formas de feminidad. Si la mujer no encanta, no la elige el hombre para hacerla esposa que sea madre de hijas hermanas de sus hijos. Todo se origina en ese mágico poder de encantar. En los *Mártires,* de Chateaubriand, cuando el general romano vela melancólico en el baluarte bajo la vaga palpitación estelar, la druidesa que le ama, la gentil Veleda se presenta como un fantasma etéreo, con su larga crin rubia, la litúrgica hoz de oro entre los pechos y le dice: *Sais-tu que je suis fée?* Pues bien, la mujer antes que poder ser cualquier otra cosa, ha de parecer al hombre, como Veleda, un hada, una mágica esencia. La ilusión podrá vivir un instante o no morir nunca: breve o perdurada es la ocasión de influencia máxima sobre el hombre que a la mujer se ofrece.

Es increíble que haya mentes lo bastante ciegas para admitir que pueda la mujer influir en la historia mediante el voto electoral y el grado de doctor universitario tanto como influye por esta su mágica potencia de ilusión. No existiendo dentro de la condición humana resorte biológico tan certero y eficaz como esa facultad de atraer que la mujer posee sobre el hombre, ha hecho de él la naturaleza el más poderoso artificio de selección y una fuerza sublime para modificar y perfeccionar la especie.

Es curioso que ya en los comienzos de la historia europea, allá en el primer canto de la *Ilíada,* aparece la mujer como galardón al que vence en los juegos o en la guerra. Al más diestro, al más bravo la más bella. De suerte que hallamos, desde luego, a los varones aspirando en concurrencia y certamen a conquistar la mujer. Posteriormente no es ésta sólo el premio que se otorga al mejor, sino que ella misma es encargada de juzgar quién vale más y preferir al excelente. La vida social es un continuado concurso abierto entre los hombres para medir sus aptitudes con ánimo de ser preferidos por la mujer. Sobre todo en las épocas más fecundas y gloriosas —el siglo XIII, el Renacimiento, el siglo XVIII—, las costumbres permitieron con peculiar intensidad que fuesen las mujeres, como Stendhal dice, *juges des mérites.* Pero se objetará que la mujer prefiere no al mejor, sino al que a ella le parece mejor, al individuo en que ve concretado su ideal del varón. En efecto, así es. El ideal, el diseño exaltado que del hombre tiene la mujer, actúa como un aparato de selección sobre la muchedumbre de los varones y destaca los que con él coinciden. He aquí precisamente la marcha de la historia, que es, en buena parte, la historia de los ideales masculinos inventados por la mujer. Así las damas de Provenza decidieron que el hombre debía ser *prou e courtois.* ¡Proeza y cortesía! Crearon el ideal del «caballero» que, si bien decaído y malparado, sigue aún informando la sociedad europea.

En cada generación son preferidos los varones coincidentes con el ideal más generalizado entre las mozas de aquel tiempo: ellos crean los hogares más logrados y felices, donde se crían los mejores hijos que, influidos por las almas homogéneas de sus padres, transmiten a sucesivas generaciones un cierto módulo y gesto de humanidad.

¡Qué le hemos de hacer, señora; la vida es así, sorprendente y llena de vías insospechadas! ¡Véase cómo lo más impalpable y fluido, el aéreo ensueño que sueñan las vírgenes en sus camarines imprime su huella en las centurias más hondamente que el acero de los capitanes! De lo que hoy tejen en su secreta fantasía, ensimismadas, las adolescentes, depende en buena parte el sesgo que tomará la historia dentro de un siglo. ¡Tiene razón Shakespeare! ¡Nuestra vida está hecha con la trama de nuestros sueños!

Yo no quisiera, señora, tomar en esta ocurrencia posiciones ante el feminismo contemporáneo. Es posible que sus aspiraciones concretas me parezcan dignas de estima y fomento. Pero sí me atreveré a decir que, aun acertado, es todo feminismo un movimiento superficial que deja intacta la gran cuestión: el modo específico de la influencia femenina en la historia. Una falta de previsión intelectual lleva a buscar la eficacia de la mujer en formas parecidas a las que son propias de la acción varonil. De esta manera, claro está, sólo hallaremos ausencias.

Se olvida que cada ser posee un género peculiar de causalidad y la mente alerta debe saber encontrarlo.

El genial dramaturgo Hebbel se preguntaba si es posible componer tragedias cuyo héroe sea femenino. Porque parece consistir el heroísmo en una superlativa actividad, apenas comportable con la normal condición de la mujer. Analizando el hecho de Judith, la viuda virgen, había hallado que si se aventuró hasta la tienda de Holofernes, fue por admiración, por entusiasmo hacia el audaz guerrero, y si luego segó su cabeza fue por acción automática de odio o resentimiento al sentirse mancillada y ofendida. Su hazaña, sólo mirada de lejos lo parece. En realidad, era un tejido compuesto de reacciones y debilidades. Para rectificar este ensayo, Hebbel modela su *Genoveva de Brabante,* que no hace sino sufrir, padecer, creando así el símbolo de un heroísmo negativo propiamente femenino, donde la actividad es, por esencia, pasividad y sufrimiento. *Durch dulden tun;* hacer al padecer. Tal es su fórmula de la causalidad femenina.

La solución de Hebbel al problema por él sutilmente

planteado me parece excesiva. Ciertamente que el destino de la mujer no es la actividad, pero entre ésta y el sufrimiento hay una forma intermedia: el ser.

Todo hombre dueño de una sensibilidad bien templada ha experimentado a la vera de alguna mujer la impresión de hallarse delante de algo extraño y absolutamente superior a él. Aquella mujer, es cierto, sabe menos de ciencia que nosotros, tiene menos poder creador de arte, no suele ser capaz de regir un pueblo ni de ganar batallas, y, sin embargo, percibimos en su persona una superioridad sobre nosotros de índole más radical que cualquiera de las que pueden existir, por ejemplo, entre dos hombres de un mismo oficio. Y es que las excelencias varoniles —el talento científico o artístico, la destreza política y financiera, la heroicidad moral— son, en cierta manera, extrínsecas a la persona y, por decirlo así, instrumentales. El talento consiste en una aptitud para crear ciertos productos socialmente útiles —la ciencia, el arte, la riqueza, el orden público. Mas lo que propiamente estimamos es estos productos, y sólo un reflujo del valor que les atribuimos se proyecta sobre las dotes necesarias para producirlos. No es el poeta, sino la poesía lo que nos interesa; no es el político, sino su política. Este carácter extrínseco de los talentos se hace patente por darse a menudo en el hombre al lado de los más graves defectos personales. La excelencia varonil radica, pues, en un *hacer;* la de la mujer en un *ser* y en un *estar;* o con otras palabras: el hombre vale por lo que *hace;* la mujer, por lo que *es.*

Cuando menos, lo que al hombre atrae de ellas no son sus actos, sino su esencia. De aquí que la profunda intervención femenina en la historia no necesite consistir en actuaciones, en faenas, sino en la inmóvil, serena presencia de su personalidad. Como al presentarse la luz, sin que ella se lo proponga y realice ningún esfuerzo, simplemente porque es luz, quedan iluminados los objetos y cantan en sus flancos los colores, todo lo que hace la mujer lo hace sin hacerlo, simplemente estando, siendo, irradiando. Y es curioso advertir cómo este carácter, que da a todo movimiento femenino un aire más bien de emanación que de acto regido por finalidades externas, luce en cada uno de sus oficios peculiares. ¿Es, por ventura, trabajar lo que hace la madre al ocuparse de sus hijos, la solicitud de la esposa o la hermana? ¿Qué tienen todos esos afanes de increíble misterio, que les hace como irse borrando conforme son ejecutados, y no dejar en el aire acusada una línea de acción o faena? Pues esta fluidez del acto es eminente en el oficio titular de mujer. La mujer, en efecto, parece no intervenir en nada; su influjo no tiene el aspecto violento o siquiera afanado propio a la intervención masculina. El hombre golpea con su brazo en la batalla, jadea por el planeta en arriesgadas exploraciones, coloca piedra sobre piedra en el monumento, escribe libros, azota el aire con discursos y hasta cuando no hace sino meditar, recoge los músculos sobre sí mismo en una quietud tan activa, que más parece la contracción preparatoria del brinco audaz. La mujer, en tanto, no hace nada, y si sus manos se mueven, es más bien en gesto que en acción. Sobre un sepulcro de la vetusta Roma republicana, donde descansó el cuerpo de una de aquellas matronas genitrices de la raza más fuerte, se leen junto al nombre estas palabras: *domiseda lanifica;* guardó su casa e hiló. Nada más, Nos parece ver la noble figura quieta en su umbral, con los largos dedos consulares enredados en el blanco vellocino.

La influencia de la mujer es poco visible precisamente porque es difusa y se halla dondequiera. No es turbulenta, como la del hombre, sino estática, como la de la atmósfera. Hay evidentemente en la esencia femenina una índole atmosférica que opera lentamente, a la manera de un clima. Esto es lo que quisiera sugerir cuando afirmo que el hombre vale por lo que *hace,* y la mujer por lo que *es.*

Así se explica que la cultura y perfeccionamiento de la hembra humana lleve siempre trayectoria distinta de la del hombre: mientras el proceso del varón consiste principalmente en fabricar cosas cada vez mejores —ciencias, artes, leyes, técnicas—, el progreso de la mujer consiste en hacerse a sí misma más perfecta, creando en sí un nuevo tipo de feminidad más delicado y más exigente.

¡Más exigente! A mi juicio, es ésta la suprema misión de la mujer sobre la tierra: exigir, exigir la perfección al hombre, Se acerca a ella el varón, buscando ser el preferido; a este fin procura, desde luego, recoger en un haz lo mejor de su persona para presentarlo a la bella juzgadora. El aliño que el más descuidado suele poner en su aderezo corporal al tiempo de la aspiración amorosa no es sino la expresión exterior y un poco ingenua del aseo espiritual a que la mujer nos incita. Ya esta espontánea selección y pulimento de nuestro repertorio vital es un primer impulso hacia la perfección que a ella debemos. Pero hay más: con eso que el hombre es, llega ante la mujer y lo expone; dice sus palabras, hace sus ademanes, fijando la mirada en su semblante para descubrir su aprobación o su desdén. Sobre cada acción suya desciende un leve gesto reprobatorio o una sonrisa que corrobora; la consecuencia es que reflexiva o indeliberadamente el hombre va anulando, podando sus actos reprobados y fomentando los que hallaron aquiescencia. De suerte que, al cabo, nos sorprendemos reformados, depurados según un nuevo estilo y tipo de vida. Sin hacer nada, quieta como la rosa en su rosal, a lo sumo mediante una fluida emanación de leves gestos fugaces, que actúan como golpes eléctricos de un irreal cincel, la mujer encantadora ha esculpido en nuestro bloque vital una nueva estatua de varón. Diríase que hay dentro del alma femenina un imaginario perfil, el cual aplica sobre cada hombre que se aproxima. Y yo creo que es así: toda mujer lleva en su intimidad preformada una figura de varón, sólo que ella no suele saber que lo lleva. El fuerte de la mujer no es saber, sino sentir. Saber las cosas es tener sus conceptos y definiciones, y esto es obra de varón. La mujer no sabe, no se ha definido ese modelo de masculinidad, pero los entusiasmos y repulsas que siente en el trato de los hombres equivalen para ella al descubrimiento práctico de esa carga ideal que insospechada traía en su corazón. Sólo así se aclara el hecho —cuyo mecanismo dejo ahora intacto— de que todo amor verdadero, y más aún en la mujer, nace en *coup de foudre* y es un flechazo. Poco puede apostarse a un amor que nace lentamente; cuando es plenario surge de un golpe, de tal modo instantáneo y arrollador, que la mujer lo primero que de él advierte es un fabuloso, irresistible anonadamiento. Este fenómeno sólo se explica por la súbita coincidencia entre aquel molde ideal y un hombre pasajero. El amor a aquella figura imaginaria preexistía ya; sólo esperaba una ocasión favorable para dispararse.

La mayor parte de los hombres viven de frases hechas, de ideas recibidas, de sentimientos convencionales y mostrencos. Del mismo modo, las mujeres vulgares llevan en sí un vulgar ideal de varón, un modelo de munición que fácilmente halla aproximado cumplimiento en la realidad. Mas como hay hombres geniales que inventan novísimos pensamientos, que crean estilos artísticos y descubren normas de nuevo derecho, hay mujeres geniales en que, por la exquisita materia de su ser, por el enérgico cultivo de su sensibilidad, logra brotar inexpreso un nuevo ideal de varón. A modo de meta sublime, de ejemplar y prototipo actúa ese delicado perfil sobre toda una sociedad, elevando, mediante la atracción encantadora que ejerce la mujer, el nivel moral del tipo hombre.

Cabe, pues, en el oficio peculiar de mujer un más y un menos de genialidad, como en la ciencia o en el arte. Y eso quiere decir que la pura feminidad es una dimensión esencial de la cultura; que hay una cultura específicamente femenina, con sus talentos y genios, sus ensayos, sus fracasos y sus adquisiciones, al través de la cual realiza la mujer su genuina colaboración en la historia.

Si unas cuantas docenas de mujeres, certeramente apostadas en una sociedad, educan, pulen su persona, hasta hacer de ella un perfecto diapasón de humanidad, un aparato de precisión sentimental, un órgano de aguda sensibilidad para formas posibles de vida mejor, lograrán más que todos los pedagogos y todos los políticos. La mujer exigente, que no se contenta con la vulgar manufactura varonil, que exige raras calidades en el hombre, produce con su desdén una especie de vacío en las alturas sociales, y como la naturaleza tiene horror a éste, pronto lo veremos llenarse de realidades: los corazones de los hombres comenzarán a pulsar con nuevo compás, ideas inesperadas despertarán en las cabezas, nuevas ambiciones, proyectos, empresas surcarán los espacios vitales, la existencia toda se pondrá a marchar en ritmo ascendente, y en el país venturoso donde esa feminidad aparezca florecerá triunfante e invasora una histórica primavera, toda una vida nueva —*vita nova!*

Vea usted, señora, cómo después de un largo giro, tal vez un poco penoso, vuelvo fielmente al punto de donde partí. Todo esto que ahora he dicho quisiera ser tan sólo el comentario a la emoción juvenil que Dante expresa en su primer libro. La *Vita Nova* es la historia miniada en gótica vidriera de tres o cuatro gestos que de lejos hace la doncella florentina: una sonrisa de favorable salutación, un mohín de vago desdén. Nada más. Y la vida de Dante, que fue iniciación de épocas nuevas, quedó para siempre orientada en su ruta por aquella sonrisa de la *donna della salute* —como las naves sobre el lomo del mar aprenden su camino en el gesto tembloroso de una estrella.

En vez de dirigirse por derecho a la perfección, cree más seguro el poeta del *Paraíso* recoger la norma en el semblante de Beatriz. Por eso dice:

> *Beatrice tutta nelle eterne rote*
> *fissa con gli occhi stava; ed io in lei*
> *le luci fisse, di lassu remote.*

(Beatriz miraba fijamente a las eternas esferas, y yo fijaba en ella mis ojos, apartándolos de lo alto.)

Es el profundo suceso que bajo la superficie histórica siempre se renueva, y Goethe expresó en palabras casi nunca entendidas:

> *El Eterno-Femenino*
> *nos atrae hacia las alturas,*

o como luego dice la *Mater Gloriosa,* dirigiéndose a Margarita:

> *¡Ven! Asciende a las esferas sublimes,*
> *que si él te presiente, él te seguirá.*

La perfección radical del hombre —no lo que es sólo mejorar en ciencia o en arte o en política— ha solido llegar a él mirando el infinito al través de un alma femenina, medio cristalino donde dan su refracción los grandes ideales concretos. Así podía decir Shelley a su amada: *¡Amada, tú eres mi mejor yo!*
Todos lo progresos que el hombre con su obra consigue son parciales, adjetivos, tangentes a la esfera íntima de la vida. Por el contrario, un modo superior de perfección femenina es un progreso integral de la vida y como el germen de una nueva humanidad. De aquí el anhelo infinito, la ilusión incendiada que los hombres mejores han sentido cuando sesgó su existencia una mujer esencial. Si contemplamos al trasluz lo que han escrito, lo que han pintado, lo que han legislado, descubrimos en la filigrana un tenue perfil transeúnte de dama gentil. No se trata de vulgares anécdotas eróticas, sino de aquellas supremas emociones que en el lívido crepúsculo de Mantinea explicaba, trémula y sabia, a Sócrates divino la extranjera Diótima. Se trata del afán de perfección que en todo varón selecto siembra a su paso sin peso una Eva ejemplar.

Un individuo, como un pueblo, queda más exactamente definido por sus ideales que por sus realidades. El lograr nuestros propósitos depende de la buena fortuna; pero el aspirar es obra exclusiva de nuestros corazones. Por esto los tipos de feminidad que son a la vez formas de idealidad, marcan el horizonte de las capacidades latentes en cada pueblo. Dondequiera y en todo tiempo, las siluetas del eterno femenino se elevan al cenit como constelaciones, preestableciendo los destinos étnicos.

Hace ocho años, señora, cuando iba a terminar mi permanencia en la Argentina, tuve el honor de conocer a sus amigas y a usted. Nunca olvidaré la impresión que me produjo hallar aquel grupo de mujeres esenciales, destacando sobre el fondo de una nación joven. Había en ustedes tal entusiasmo de perfección, un gusto tan certero y rigoroso, tanto fervor hacia toda disciplina severa, que cada una de nuestras conversaciones circulares dejaba sobre mi espíritu, como un peso moral, el denso imperativo de «mezura» y selección. Que en un pueblo de antigua y destilada cultura aparezcan exquisitas formas de feminidad es comprensible, aunque no frecuente. Nietzsche dice que «la mujer perfecta es un tipo de humanidad superior al hombre perfecto, y además es más insólito». Pero que en una raza nueva y aún en gestación broten súbitamente tales criaturas encierra un secreto orgánico y da mucho que pensar. Evidentemente no se trata de un resultado del medio, como en las viejas civilizaciones. Todo lo contrario. La vitalidad ascendente de la nueva raza crea de su lujo interior esas figuras egregias con una intención de ejemplaridad. Son modelos y pautas que inician un perfeccionamiento del medio. El hecho de que ustedes me apareciesen floreciendo en la hora germinal de una gran nación, me hizo concebir estos pensamientos sobre la influencia de la mujer en la historia. Su coincidencia con las emociones de Dante me invitaba a devolverlos ahora a ustedes en signo de homenaje y gratitud.

Yo no sé si la sociedad que le rodea sabrá aprovechar sin pérdida la gracia normativa que hay en usted. ¿No es el destino de la Argentina seguir una trayectoria que contrapese la del pueblo yanqui, equilibrando así las dos gigantescas masas del continente? Ya que la nación del Norte parece haberse desviado hacia el cultivo de la cantidad, fuera excelente que las razas del Plata prefiriesen la cualidad, aspirando a crear un nuevo tipo de hombre selecto. Claro síntoma de este sino es que hoy posean en usted algo así como una Gioconda austral.

¿Por qué, señora, es su prosa tan muelle y lleva cada frase un resorte suave, que nos despide elásticamente de la tierra y nos proporciona una ascensión? Y eso que un fino respeto hacia Dante —¡quién lo conociera como usted!— le hace reprimir sus más personales inspiraciones. Al servirnos de guía suscita usted problemas que voluntariamente deja sin resolver. Esperamos, tras éste, otro libro donde reciban iluminaciones. No olvide usted que es para muchos, como el poeta decía,

> *Quella ond'io aspetto il come e il quando*
> *del dire e del tacer.*

> (Par. XXI.)

(Aquella de que espero el cómo y el cuándo
del hablar y el callar.)

Señora, la excursión ha sido deliciosa. Lo malo es que, después de habernos conducido por espiritual tracción hasta lo más alto, nos deja usted ahora solos y, abandonados a nuestro propio peso, ¿qué podemos hacer sino descender? Con mis exclusivas fuerzas yo sólo podría intentar un estudio que se titulase: *De Beatrice a Francesca, ensayo descendente.* No faltaría precedencia. Conviene recordar que los dos mayores viajes para recobrar la mujer han sido de dirección contrapuesta. Dante asciende para hallar a Beatriz en el Empíreo, mas Orfeo, musicando, desciende al Infierno para encontrar a Eurídice.

Debo confesar que si placentero acompaño a Dante y procuro aprender de él, su doctrina me parece, al cabo, parcial e insuficiente. El estadio de la evolución sentimental que él representa no puede ser el último. Era preciso ciertamente descubrir la emoción espiritual hacia la mujer, que antes no existía. Pero después de haber ascendido hasta ella hace falta reintegrarla al cuerpo. Yo creo que esta integración del sentimiento, este ensayo de fundir el alma con la carne, es la misión de nuestra edad.

Hay en Dante, como en toda su época, un inestable dualismo. Dante es, por una parte, el hombre que ha mirado mejor las formas de las cosas. Sus sentidos, prontos y perspicaces, estaban magníficamente abiertos sobre el mundo, y de su persona brotaba un gigantesco apetito de vida. No era un espectro; dondequiera que iba «movía lo que tocaba». Si escapa al trasmundo de las postrimerías, es para hacer de él una localidad inmejorable, desde la cual contemplar el gran torrente dramático de este nuestro mundo. Al pasar la frontera de ultratumba se lleva íntegro su equipaje de pasiones terrenas, y en sus versos trascendentes se las oye silbar, como vendavales. La *Divina Comedia* es, ante todo, un libro de memorias.

Pero al lado de este terrenal entusiasmo, y sin acuerdo con él, triunfa en Dante el goticismo, con su alma de flecha ultrarreal, con su embriaguez de lo abstruso y su afán de fuga. Hay además en nuestro poeta un comienzo de la propensión racionalista que va a imperar en el Renacimiento, y luego en toda la modernidad. De este racionalismo, que aspira a sustituir la vida por la idea, nos vamos ahora curando. Su tiempo, en cambio, vivía inclinado hacia todas las alucinaciones. Es la edad en que se busca el Santo Graal y se da cima a aquella heroica fantasmagoría de las Cruzadas. La famosa de los niños nos hace entrever cierto fondo de perversión, de insalubridad en las imaginaciones. Se vive en la magia de Artus y de Merlín.

Yo pido, señora, que organicemos una nueva salud, y ésta es imposible si el cuerpo no sirve de contrapeso al alma. Una vez descubierta, la vida del alma es demasiado fácil, porque es imaginaria. Decía Nietzsche «que es muy fácil pensar las cosas, pero muy difícil serlas». El cuerpo significa un imperativo de realización que se presenta al espíritu. Yo diría más: el cuerpo es la realidad del espíritu. Sin los gestos de usted, señora, no sabría nada del dorado misterio que es su alma.

Se ha partido de una falsa abstracción, se ha disociado arbitrariamente el cuerpo del espíritu, como si ambos fuesen separables. Pero el cuerpo vivo no es como el mineral: pura materia. El cuerpo vivo es carne, y la carne es sensibilidad y expresión. Una mano, una mejilla, un belfo *dicen* siempre algo; son esencialmente ademanes, cápsulas de espíritu, exteriorización de esa esencial intimidad que llamamos psique. La corporeidad, señora, es santa porque tiene una misión trascendente: simbolizar el espíritu.

¿Por qué desdeñar lo terreno? El propio asceta Pedro Damián no se olvida en el *Paraíso* del aceite cuaresmal con que había ganado el cielo:

> *Quivi*
> *al servigio di Dio mi fei si fermo,*
> *che pur con cibi di liquor di ulivi*
> *lievemente passaba caldi e geli*
> *contento dei pensier contemplativi.*

Lo cierto es que los inquilinos del otro mundo se agolpan presurosos, como insectos a la luz, en torno de Dante, a fin de beber en él un poco de vida y se atropellan para preguntarle noticias de la tierra.

Nos urge, señora, oír de nuevo su inspiración sobre estos grandes temas. Estamos en una hora de universal crepúsculo. Todo un orbe desciende moribundo, rodeado por la espléndida fiesta de su agonía. Ya roza el disco incendiado la fría línea verde de su inquieto sepulcro. Aún queda un resto de claror...

Lo sol sen va e vien la sera:
non v'arrestate ma studiate el passo,
mentre que l'occidente non s'annera.

(Purg. XVII.)

(El sol se va y llega la noche:
no os detengáis, sino descubrid la salida
en tanto que el occidente no se ennegrece.)

PARA UNA PSICOLOGIA
DEL HOMBRE INTERESANTE

I

Nada hay tan halagüeño para un varón como oír que las mujeres dicen de él que es un hombre interesante. Pero, ¿cuándo es un hombre interesante, según la mujer? La cuestión es de las más sutiles que se pueden plantear; pero a la vez, una de las más difíciles. Para salir a su encuentro con algún rigor sería menester desarrollar toda una nueva disciplina, aún no intentada y que desde hace años me ocupa y preocupa. Suelo darle el nombre de *Conocimiento del hombre o antropología filosófica*. Esta disciplina nos enseñará que las almas tienen formas diferentes, lo mismo que los cuerpos. Con más o menos claridad, según la perspicacia de cada uno, percibimos todos en el trato social esa diversa configuración íntima de las personas, pero nos cuesta mucho trabajo transformar nuestra evidente percepción en conceptos claros, en pleno conocimiento. Sentimos a los demás, pero no los sabemos.

Sin embargo, el lenguaje usual ha acumulado un tesoro de finos atisbos que se conserva en cápsulas verbales de sugestiva alusión. Se habla, en efecto, de almas ásperas y de almas suaves, de almas agrias y dulces, profundas y superficiales, fuertes y débiles, pesadas y livianas. Se habla de hombres magnánimos y pusilánimes, reconociendo así tamaño a las almas como a los cuerpos. Se dice de alguien que es un hombre de acción o bien que es un contemplativo, que es un «cerebral» o un sentimental, etc. Nadie se ha ocupado de realizar metódicamente el sentido preciso de tan varias denominaciones, tras de las cuales presumimos la diversidad maravillosa de la fauna humana. Ahora bien: todas esas expresiones no hacen más que aludir a diferencias de configuración de la persona interna, e inducen a construir una anatomía psicológica. Se comprende que el alma del niño ha de tener por fuerza distinta estructura que la del anciano, y que un ambicioso posee diferente figura anímica que un soñador. Este estudio, hecho con un poco de sistema, nos llevaría a una urgente caracterología de nuevo estilo, merced a la cual podríamos describir con insospechada delicadeza las variedades de la intimidad humana. Entre ellas aparecería el *hombre interesante* según la mujer.

El intento de entrar a fondo en su análisis me produciría pavor, porque al punto nos encontraríamos rodeados de una selva donde todo es problema. Pues lo primero y más externo que del hombre interesante cabe decir es esto: el hombre interesante es el hombre de quien las mujeres se enamoran. Pero ya esto nos pierde, lanzándonos en medio de los mayores peligros. Caemos en plena selva de amor. Y es el caso que no hay en toda la topografía humana paisaje menos explorado que el de los amores. Puede decirse que está todo por decir; mejor, que está todo por pensar.

Un repertorio de ideas toscas se halla instalado en las cabezas e impide que se vean con mediana claridad los hechos. Todo está confundido y tergiversado. Razones múltiples hay para que sea así. En primer lugar, los amores son, por esencia, vida arcana. Un amor no se puede contar: al comunicarlo se desdibuja o volatiliza. Cada cual tiene que atenerse a su experiencia personal, casi siempre escasa, y no es fácil acumular la de los prójimos. ¿Qué hubiera sido de la física si cada físico poseyese únicamente sus personales observaciones? Pero, en segundo lugar, acaece que los hombres más capaces de pensar sobre el amor son los que menos lo han vivido, y los que lo han vivido suelen ser incapaces de meditar sobre él, de analizar con sutileza su plumaje tornasolado y siempre equívoco. Por último, un ensayo sobre el amor es obra sobremanera desagradecida. Si un médico habla sobre la digestión, las gentes escuchan con modestia y curiosidad. Pero si un psicólogo habla del amor, todos le oyen con desdén, mejor dicho, no le oyen, no llegan a enterarse de lo que enuncia, porque todos se creen doctores en la materia. En pocas cosas aparece tan de manifiesto la estupidez habitual de las gentes. ¡Cómo si el amor no fuera, a la postre, un tema teórico del mismo linaje que los demás, y, por tanto, hermético para quien no se acerque a él con agudos instrumentos intelectuales! Pasa lo mismo que con Don Juan. Todo el mundo cree tener la auténtica doctrina sobre él —sobre Don Juan, el problema más recóndito, más abstruso, más agudo de nuestro tiempo. Y es que, con pocas excepciones, los hombres pueden dividirse en tres clases: los que creen ser Don Juanes, los que creen haberlo sido y los que creen haberlo podido ser, pero no quisieron. Estos últimos son los que propenden, con benemérita intención, a atacar a Don Juan y tal vez a decretar su cesantía.

Existen, pues, razones sobradas para que las cuestiones de que todo el mundo presume entender —amor y política— sean las que menos han progresado. Sólo por no escuchar las trivialidades que la gente inferior se apresura a emitir apenas se toca alguna de ellas, han preferido callar los que mejor hubieran hablado.

Conviene, pues, hacer constar que ni los Don Juanes ni los enamorados saben cosa mayor sobre Don Juan ni sobre el amor, y viceversa; sólo hablará con precisión de ambas materias quien viva a distancia de ellas, pero atento y curioso, como el astrónomo hace con el sol. Conocer las cosas no es serlas; ni serlas, conocerlas. Para ver algo hay que alejarse de ello, y la separación lo convierte de realidad vivida en objeto de conocimiento. Otra cosa nos llevaría a pensar que el zoólogo, para estudiar las avestruces tiene que volverse avestruz. Que es lo que se vuelve Don Juan cuando habla de sí mismo.

Por mi parte, sé decir que no he conseguido llegar a claridad suficiente sobre estos grandes asuntos, a pesar de haber pensado mucho sobre ellos. Afortunadamente no hay para qué hablar ahora de Don Juan. Tal vez fuera forzoso decir que Don Juan es siempre un hombre interesante, contra lo que sus enemigos quieren hacernos creer. Pero es evidente que no todo hombre interesante es un Don Juan, con lo cual basta para que eliminemos de estas notas su perfil peligroso. En cuanto al amor, será menos fácil evitar su intromisión en nuestro tema. Me veré, pues, forzado a formular con aparente dogmatismo, sin desarrollo ni prueba, algunos de mis pensamientos sobre el amor que discrepan sobremanera de las ideas recibidas. Conviene que el lector los tome sólo como una aclaración imprescindible de lo que diga sobre el «hombre interesante» y no insista por hoy mucho en decir si son o no razonables.

II

Y como antes sugería, lo primero que de éste cabe decir es que es el hombre de quien las mujeres se enamoran. Pero al punto se objetará que todos los hombres normales consiguen el amor de alguna mujer, y, en consecuencia, todos serán interesantes. A lo que yo necesitaría responder perentoriamente estas dos cosas. La primera: que del hombre interesante se enamora no una mujer, sino muchas. ¿Cuántas? No importa la estadística, porque lo decisivo es esta segunda cosa: del hombre no interesante no se enamora ninguna mujer. El «todo» y el «nada», el «muchas» y el «ninguna» han de entenderse más bien como exageraciones de simplificación que no optan a exactitud. La exactitud en todo problema de vida sería lo más inexacto, y las calificaciones cuantitativas se contraen a expresar situaciones típicas, normalidades, predominancias.

Esta creencia de que el amor es operación mostrenca y banal es una de las que más estorban la inteligencia de los fenómenos eróticos y se ha formado al amparo de un innumerable equívoco. Con el solo nombre de amor denominamos los hechos psicológicos más diversos, y así acaece luego que nuestros conceptos y generalizaciones no casan nunca con la realidad. Lo que es cierto para el amor en un sentido del vocablo no lo es para otro, y nuestra observación, acaso certera en el círculo de erotismo donde la obtuvimos, resulta falsa al extenderse sobre los demás.

El origen del equívoco no es dudoso. Los actos sociales y privados en que vienen a manifestarse las más diferentes atracciones entre hombre y mujer forman, en sus líneas esquemáticas, un escaso repertorio. El hombre a quien le gusta la forma corporal de una mujer, el que, por vanidad, se interesa en su persona, el que llega a perder la cabeza víctima del efecto mecánico que una mujer puede producir con una táctica certera de atracción y desdén, el que simplemente se adhiere a una mujer por ternura, lealtad, simpatía, «cariño», el que cae en un estado pasional, en fin, el que ama de verdad enamorado, se comportan de manera poco más o menos idéntica. Quien desde lejos observa sus actos no se fija en ese poco más o menos, y atendiendo sólo a la gruesa anatomía de la conducta juzga que ésta no es diferente, y, por tanto, tampoco el sentimiento que la inspira. Mas bastaría que tomase la lupa y desde cerca las estudiase para advertir que las acciones se parecen sólo en sus grandes líneas, pero ofrecen diversísimas indentaciones. Es un enorme error interpretar un amor por sus actos y palabras: ni unos ni otras suelen proceder de él, sino que constituyen un repertorio de grandes gestos, ritos, fórmulas, creados por la sociedad, que el sentimiento halla ante sí como un aparato presto e impuesto cuyo resorte se ve obligado a disparar. Sólo el pequeño gesto original, sólo el acento y el sentido más hondo de la conducta nos permite diferenciar los amores diferentes.

Yo hablo ahora sólo del pleno amor de enamoramiento, que es radicalmente distinto del fervor sensual, del *amour-vanité,* del embalamiento mecánico, del «cariño», de la «pasión». He aquí una variada fauna amorosa que fuera sugestivo filiar en su multiforme contextura.

El amor de enamoramiento —que es, a mi juicio, el prototipo y cima de todos los erotismos— se caracteriza por contener, a la vez, estos dos ingredientes: el sentirse «encantado» por otro ser que nos produce «ilusión» íntegra y el sentirse absorbido por él hasta la raíz de nuestra persona, como si nos hubiera arrancado de nuestro propio fondo vital y viviésemos trasplantados a él, con nuestras raíces vitales en él. No es sino decir de otra manera esto último, agregar que el enamorado se siente entregado totalmente al que ama; donde no importa que la entrega corporal o espiritual se haya cumplido o no. Es más, cabe que la voluntad del enamorado logre impedir su propia entrega a quien ama en virtud de consideraciones reflexivas —decoro social, moral, dificultades del cualquier orden. Lo esencial es que se sienta entregado al otro, cualquiera que sea la decisión de su voluntad.

Y no hay en esto contradicción: porque la entrega radical no la hace él, sino que se efectúa en profundidades de la persona mucho más radicales que el plano de su voluntad. No es un querer entregarse: es un entregarse sin querer. Y dondequiera que la voluntad nos lleva, vamos irremediablemente entregados al ser amado, inclusive cuando nos lleva al otro extremo del mundo para apartarnos de él[1].

Este caso extremo de disociación, de antagonismo entre la voluntad y el amor sirve para subrayar la peculiaridad de este último, y conviene, además, contar con él porque es una compilación posible, pero ciertamente poco probable. Es muy difícil que en un alma auténticamente enamorada surjan con vigor consideraciones que exciten su volumen para defenderse del amado. Hasta el punto que, en la práctica, ver que en la persona amada la voluntad funciona, que «se hace reflexiones», que halla motivos «muy respetables» para no amar o amar menos, suele ser el síntoma más inequívoco de que, en efecto, no ama. Aquel alma se siente vagamente atraída por la otra, pero no ha sido arrancada de sí misma; es decir, no ama.

Es, pues, esencial en el amor de que hablamos la combinación de los dos elementos susodichos: el encantamiento y la entrega. Su combinación no es mera coexistencia, no consiste en darse juntos, lo uno al lado de lo otro, sino que lo uno nace y se nutre de lo otro. Es la entrega *por* encantamiento.

La madre se entrega al hijo, el amigo al amigo, pero no en virtud de la «ilusión», del «encanto»; la madre lo hace por un instinto radical casi ajeno a su espiritualidad. El amigo se entrega por clara decisión de su voluntad; en él es lealtad, por tanto, una virtud que, a fuer de tal, posee una raíz reflexiva. Diríamos que el amigo se toma en su propia mano y se dona al otro. En el amor, lo típico es que se nos escapa el alma de nuestra mano y queda como sorbida por la otra. Esta succión que la personalidad ajena ejerce sobre nuestra vida mantiene a ésta en levitación, la descuaja de su

---

[1] En mi ensayo «Vitalidad, alma, espíritu», puede verse el fundamento psicológico de esta diferencia entre alma y voluntad. (*El Espectador,* V.)

enraigamiento en sí misma y la trasplanta al ser amado, donde las raíces primitivas parece que vuelven a prender, como en nueva tierra. Merced a esto vive el enamorado, no desde sí mismo, sino desde el otro, como el hijo, antes de nacer, vive corporalmente de la madre, en cuyas entrañas está plantado y sumido.

Pues bien, esta absorción del amante por el amado no es sino el efecto del encantamiento. Otro ser nos encanta, y este encanto lo sentimos en forma de tirón continuo y suavemente elástico que da de nuestra persona. La palabra «encanto», tan trivializada, es, no obstante, la que mejor expresa la clase de actuación que sobre el que ama ejerce lo amado. Conviene, pues, restaurar su uso, resucitando el sentido mágico que en su origen tuvo.

En la atracción sexual no hay propiamente atracción. El cuerpo sugestivo excita un apetito, un deseo de él. Pero en el deseo no vamos a lo deseado, sino, al revés, nuestra alma tira de lo deseado hacia sí. Por eso se dice muy certeramente que el objeto *despierta* un deseo, como indicando que en el desear él no interviene, que su papel concluyó al hacer brotar el deseo y que en éste lo hacemos todo nosotros. El fenómeno psicológico del deseo y el de «ser encantado» tienen signo inverso. En aquél tiendo a absorber el objeto, en éste soy yo el absorbido. De aquí que en el apetito no haya entrega de mi ser, sino, al contrario, captura del objeto[1].

---

[1] Este viejo término «apetito» incluye un error de descripción psicológica que, por otra parte, es muy común. Confunde el fenómeno psíquico que pretende denominar con las consecuencias frecuentes de él. En virtud de que deseo algo, procuro moverme hacia ello para *tomarlo*. Este «ir hacia» —*petere*— es el medio que el deseo encuentra para satisfacerse, pero no es él mismo. En cambio, el hecho último, la aprehensión del objeto, el traer a mí, incluir en mí el objeto, es la manifestación original del deseo.

También ha oscurecido mucho la descripción del amor el hábito de confundirlo con sus consecuencias. El sentimiento amoroso, el más fecundo en la vida psíquica, suscita innumerables actos que le

Tampoco hay entrega verdadera en la «pasión». En los últimos tiempos se ha otorgado a esta forma inferior del amor un rango y un favor resueltamente indebidos. Hay quien piensa que se ama más y mejor en la medida que se esté cerca del suicidio o del asesinato, de Werther o de Otelo, y se insinúa que toda otra forma de amor es ficticia y «cerebral». Yo creo, inversamente, que urge devolver al vocablo «pasión» su antiguo sentido peyorativo. Pegarse un tiro o matar no garantizan lo más nimio la calidad, ni siquiera la cantidad de un sentimiento. La «pasión» es un estado patológico que implica la defectuosidad de un alma. La persona fácil al mecanismo de la obsesión, o de estructura muy simple y ruda, convertirá en «pasión», es decir, en manía todo germen de sentimiento que en ella caiga[1]. Desmontemos del apasionamiento el aderezo romántico con que se le ha ornamentado. Dejemos de creer que el hombre está enamorado en la proporción que se haya vuelto estúpido o pronto a hacer disparates.

Lejos de esto, fuera bueno establecer como tema general para la psicología del amor este aforismo: *Siendo el amor el acto más delicado y total de un alma, en él se reflejarán la condición e índole de ésta. Es preciso no atribuir al amor los caracteres que a él llegan de la persona que lo siente.* Si ésta es poco perspicaz, ¿cómo va a ser zahorí el amor? Si es poco profunda, ¿cómo será hondo su amor? Según se es, así se ama. Por esta razón, *podemos hallar en el amor el síntoma más decisivo de lo que una persona es.* Todos los demás actos y apariencias pueden engañarnos sobre su verdadera índole: sus amores nos descubrirán el secreto de su ser, tan cuidadosamente recatado. Y sobre todo, la elección

---

acompañan como al patricio romano sus clientes. Así, de todo amor nacen deseos respecto a lo amado; pero estos deseos no son el amor, sino, al contrario, lo suponen porque nacen de él.

[1] El que mata o se mata por amor lo haría igualmente por cualquiera otra cosa: una disputa, una pérdida de fortuna, etc.

de amado. En nada como en nuestra preferencia erótica se declara nuestro más íntimo carácter.

Con frecuencia oímos decir que las mujeres inteligentes se enamoran de hombres tontos, y, viceversa, de mujeres necias los hombres agudos. Yo confieso, que, aun habiéndolo oído muchas veces, no lo he creído nunca, y en todos los casos donde pude acercarme y usar la lupa psicológica he encontrado que aquellas mujeres y aquellos hombres no eran, en verdad, inteligentes, o, viceversa, no eran tontos los elegidos.

No es, pues, la pasión culminación del afán amoroso, sino, al contrario, su degeneración en almas inferiores. En ella no hay —quiero decir, no tiene que haber— ni encanto ni entrega. Los psiquiatras saben que el obsesionado lucha contra su obsesión, que no la acepta en sí, y, sin embargo, ella le domina. Así cabe una enorme pasión sin contenido apreciable de amor.

Esto indica al lector que mi interpretación del fenómeno amoroso va en sentido opuesto a la falsa mitología que hace de él una fuerza elemental y primitiva que se engendra en los senos oscuros de la animalidad humana y se apodera brutalmente de la persona, sin dejar intervención apreciable a las porciones superiores y más delicadas del alma.

Sin discutir ahora la conexión que pueda tener con ciertos instintos cósmicos yacentes en nuestro ser, creo que el amor es todo lo contrario de un poder elemental. Casi, casi —aun a sabiendas de la parte de error que va en ello— yo diría que el amor, más que un poder elemental, parece un género literario. Fórmula que —naturalmente— indignará a más de un lector, antes —naturalmente— de haber meditado sobre ella. Y claro está que es excesiva e inaceptable si pretendiese ser la última, mas yo no pretendo con ella sino sugerir que el amor, más que un instinto, es una creación, nada primitiva en el hombre. El salvaje no la sospecha, el chino y el indio no la conocen, el griego del tiempo de

Pericles apenas la entrevé[1]. Dígaseme si ambas notas: ser una creación espiritual y aparecer sólo en ciertas etapas y formas de la cultura humana, harían mal en la definición de un género literario.

Como del hervor sensual y de la «pasión», podíamos separar claramente el amor de sus otras pseudomorfosis. Así de lo que he llamado «cariño». En el «cariño» —que suele ser, en el mejor caso, la forma del amor matrimonial— dos personas sienten mutua simpatía, fidelidad, adhesión, pero tampoco hay encantamiento ni entrega. Cada cual vive sobre sí mismo, sin arrebato en el otro, y desde sí mismo envía al otro efluvios suaves de estima, benevolencia, corroboración.

Lo dicho basta para imbuir un poco de sentido —no pretendo ahora otra cosa— a esta afirmación: si se quiere ver claro en el fenómeno del amor, es preciso, ante todo, desasirse de la idea vulgar que ve en él un sentimiento demótico, que todos o casi todos son capaces de sentir y se produce a toda hora en torno nuestro, cualquiera que sea la sociedad, raza, pueblo, época en que vivimos. Las distinciones que las páginas antecedentes dibujan, reducen sobremanera la frecuencia del amor, alejando de su esfera muchas cosas que erróneamente se incluyen en ella. Un paso más y podremos decir sin excesiva extravagancia que *el amor*

---

[1] Platón tiene conciencia perfecta de este sentimiento y lo describe maravillosamente, pero no le hubiera cabido en la cabeza que se le confundiese con lo que un griego de su tiempo sentía hacia la mujer. El amor en Platón es amor de enamoramiento y tal vez la primera aparición de éste en la historia. Pero es un amor del hombre maduro y más cultivado al joven bello y discreto. Platón ve, sin vacilación, en este amor un privilegio de la cultura griega, una invención espiritual, más aún, una institución céntrica de la nueva vida humana. A nosotros nos repugna gravemente y con sobrada razón esta manera dórica del amor, pero la verdad pura nos obliga a reconocer que en él está una de las raíces históricas de esta admirable invención occidental del amor a la mujer. Si el lector medita un poco advertirá que las cosas son más complejas y sutiles de lo que el vulgo cree, y hallará menos extravagante esta comparación del amor a un género literario.

*es un hecho poco frecuente y un sentimiento que sólo
ciertas almas pueden llegar a sentir; en rigor, un talento
específico que algunos seres poseen, el cual se da de
ordinario unido a los otros talentos, pero puede ocurrir
aislado y sin ellos.*

Sí; enamorarse es un talento maravilloso que algunas
criaturas poseen, como el don de hacer versos, como el
espíritu de sacrificio, como la inspiración melódica,
como la valentía personal, como el saber mandar. No se
enamora cualquiera ni de cualquiera se enamora el
capaz. El divino suceso se origina cuando se dan ciertas
rigorosas condiciones en el sujeto y en el objeto. Muy
pocos pueden ser amantes y muy pocos amados. El
amor tiene su *ratio,* su ley, su esencia unitaria, siempre
idéntica, que no excluye dentro de su exergo las abun-
dancias de la casuística y la más fértil variabilidad[1].

III

Basta enumerar algunas de las condiciones y supuestos del enamoramiento para que se haga altamente
verosímil su extremada infrecuencia. Sin pretender con
ello ser completo, podríamos decir que esas condiciones
forman tres órdenes, como son tres los grandes compo-
nentes del amor: condiciones de *percepción* para ver la

---

[1] Existe hoy en el mundo un grupo de hombres, dentro del cual me
enorgullece encontrarme, que hace frente a la tradición empirista,
según la cual todo acontece al azar y sin forma unitaria, aquí y ahora
de un modo, allá y luego de otro, sin que quepa hallar otra ley de las
cosas que el más o menos de la inducción estadística. En oposición a
tan vasta anarquía reanudamos la otra tradición más larga y más
honda de la perenne filosofía que busca en todo la «esencia», el modo
único.

Claro está que sería mucho más simple y cómodo pensar que el
amor es de infinitas maneras, que en cada caso es diferente, etc. Yo
espero mantener siempre lejos de mí el rebajamiento intelectual que
suscita ese modo de pensar y tanto halaga a las mentes inertes. La
misión última del intelecto será siempre cazar la «esencia», es decir, el
modo único de ser cada realidad.

persona que va a ser amada, condiciones de *emoción* con que respondemos sentimentalmente nosotros a esa visión de lo amable y condiciones de *constitución* en nuestro ser o cómo sea el resto de nuestra alma. Porque, aun dándose correctamente las otras dos operaciones de percibir y de sentir, aún puede acaecer que este sentimiento no arrastre ni invada ni informe toda nuestra persona, por ser ésta poco sólida y elástica, desparramada o sin resortes vigorosos.

Insinuemos breves sugestiones sobre cada uno de estos órdenes.

Para ser encantados necesitamos ante todo ser capaces de *ver* a otra persona, y para esto no basta con abrir los ojos[1]. Hace falta una previa curiosidad, de un sesgo peculiar, mucho más amplia, íntegra y radical que las curiosidades orientadas hacia cosas (como la científica, la técnica, la del turismo, la de «ver mundo», etc.), y aun a actos particulares de las personas (por ejemplo, la chismografía). Hay que ser vitalmente curioso de humanidad, y de ésta en la forma más concreta: la persona como totalidad viviente, como módulo individual de existencia. Sin esta curiosidad, pasarán ante nosotros las criaturas más egregias y no nos percataremos. La lámpara siempre encendida de las vírgenes evangélicas es el símbolo de esta virtud que constituye como el umbral del amor.

Pero nótese que, a su vez, tal curiosidad supone muchas otras cosas. Es ella un lujo vital que sólo pueden poseer organismos con alto nivel de vitalidad. El débil es incapaz de esa atención desinteresada y previa a lo que pueda sobrevenir fuera de él. Más bien teme a lo inesperado que la vida pueda traer envuelto en los pliegues de su halda fecunda, y se hace hermético a cuanto no se relacione desde luego con su interés

---

[1] Sobre este gran enigma de cómo vemos la persona ajena, remito al lector a dos ensayos míos: «La percepción del prójimo» y «Sobre la expresión, fenómeno cósmico». [Véase la referencia bibliográfica en la página 88 de este mismo volumen.]

subjetivo. Esta paradoja del interés «desinteresado» penetra el amor en todas sus funciones y órdenes, como el hilo rojo que va incluido en todos los cables de la Real Marina inglesa.

Simmel —siguiendo a Nietzsche— ha dicho que la esencia de la vida consiste precisamente en anhelar más vida. Vivir es más vivir, afán de aumentar los propios latidos. Cuando no es así, la vida está enferma y, en su medida, no es vida. La aptitud para interesarse en una cosa por la que ella sea en sí misma y no en vista del provecho que nos rinda es el magnífico don de generosidad que florece sólo en las cimas de mayor altitud vital. Que el cuerpo sea médicamente débil por defectos del aparato anatómico no arguye, sin más, defecto de vitalidad, como, viceversa, la corporeidad hercúlea no garantiza grandes energías orgánicas (así muy frecuentemente ocurre con los atletas).

Casi todos los hombres y las mujeres viven sumergidos en la esfera de sus intereses subjetivos, algunos, sin duda, bellos o respetables, y son incapaces de sentir el ansia emigratoria hacia el más allá de sí mismos. Contentos o maltratados por el detalle de lo que les rodea, viven, en definitiva, satisfechos con la línea de su horizonte y no echan de menos las vagas posibilidades que a ultranza pueda haber. Semejante tesitura es incompatible con la curiosidad radical, que es, a la postre, un incansable instinto de emigraciones, un bronco afán de ir desde sí mismo a lo otro[1]. Por eso es tan difícil que el *petit bourgeois* y la *petite bourgeoise* se enamoren de manera auténtica; para ellos es la vida

[1] En cada sociedad, raza, época, falla la posibilidad de frecuente amor por defecto de una u otra condición. En España no es necesario buscar más lejos la razón de la rareza con que se da el hecho erótico, porque falta ya el primer supuesto. Son muy pocos los españoles, sobre todo las españolas, dotados de curiosidad, y es difícil hallar alguien que sienta el apetito de asomarse a la vida para ver lo que trae o pueda traer. Es curioso asistir a una reunión de «sociedad» en nuestro país: la falta de vibración en el diálogo y en los gestos pronto revela que se está entre gentes dormidas —los biólogos llaman *vita*

precisamente un insistir sobre lo conocido y habitual, una inconmovible satisfacción dentro del repertorio consuetudinario.

Esta curiosidad, que es a la par ansia de vida, no puede darse más que en almas porosas donde circule el aire libre, no confinado por ningún muro de limitación —el aire cósmico cargado con polvo de estrellas remotas. Pero no basta ella para que «veamos» esa delicada y complejísima entidad que es una persona. La curiosidad prepara el órgano visual, pero éste ha de ser perspicaz. Y tal perspicacia es ya el primer talento y dote extraordinaria que actúa, como ingrediente, en el amor. Se trata de una especial intuición que nos permite rápidamente descubrir la intimidad de otros hombres, la figura de su alma en unión con el sentido expresado por su cuerpo. Merced a ella podemos «distinguir» de personas, apreciar su calidad, su trivialidad o su excelencia, en fin, su rango de perfección vital. No se crea por esto que pretendo intelectualizar el sentimiento de amor. Esta perspicacia no tiene nada que ver con la inteligencia, y aunque es más probable su presencia en criaturas de mente clara, puede existir señera, como el don poético que tantas veces viene a alojarse en hombres casi imbéciles. De hecho, no es fácil que la hallemos sino en personas provistas de alguna agudeza intelectual, pero su más y su menos no marchan al par de ésta. Así ocurre que esa intuición suele darse relativamente más en la mujer que en el hombre, al revés que el don de intelecto, tan sexuado de virilidad[1].

---

minima a la modorra invernal de ciertas especies—, las cuales no van a exigir nada a la hora que pasa, ni esperan nada los unos de los otros, ni, en general, de la existencia. Desde mi punto de vista es inmoral que un ser no se esfuerce en hacer cada instante de su vida lo más intenso posible.

[1] Toda función biológica —a diferencia de los fenómenos fisicoquímicos— presenta junto a su norma sus anomalías. Así en el amor. Cuando se dan las demás condiciones para que nazca y la perspicacia es insuficiente o nula, tendremos un caso de patología sentimental, de amor anómalo.

Los que imaginan el amor como un efecto entre mágico y mecánico que en el hombre se produce, repugnarán que se haga de la perspicacia uno de sus atributos esenciales. Según ellos, el amor nace siempre «sin razón», es ilógico, antirracional y más bien excluye toda perspicacia. Este es uno de los puntos capitales en que me veo obligado a discrepar resueltamente de las ideas recibidas.

Decimos que un pensamiento es lógico cuando no nace en nosotros aislado y porque sí; antes bien, le vemos manar y sustentarse de otro pensamiento nuestro que es su *fuente psíquica*. El ejemplo clásico es la conclusión. *Porque* pensamos las premisas, aceptamos la consecuencia: si aquéllas son puestas en duda, la consecuencia queda en suspenso, dejamos de creer en ella. El *porqué* es el fundamento, la prueba, la razón, el *lógos,* en suma, que proporciona racionalidad al pensamiento. Pero, a la vez, es del manantial psicológico de donde sentimos brotar ésta, la fuerza real que lo suscita y mantiene en el espíritu.

El amor, aunque nada tenga de operación intelectual, se parece al razonamiento en que no nace en seco y, por decirlo así, *a nibilo,* sino que tiene su *fuente psíquica* en las calidades del objeto amado. La presencia de éstas engendra y nutre al amor, o dicho de otro modo, nadie ama sin *porqué* o porque sí; todo el que ama tiene, a la vez, la convicción de que su amor está justificado: más aún, amar es «creer» (sentir) que lo amado es, en efecto, amable por sí mismo, como pensar es creer que las cosas son, en realidad, según las estamos pensando. Es posible que en uno y otro caso padezcamos error, que ni lo amable lo sea según sentimos, ni real lo real según lo pensamos; pero es el caso que amamos y pensamos en tanto que es esa nuestra convicción. En esta propiedad de sentirse justificado y vivir precisamente *de* su justificación, alimentándose en todo instante de ella, corroborándose en la evidencia de su motivo, consiste el carácter lógico del pensamiento. Leibniz expresa esto mismo diciendo que el pensamiento no es ciego, sino que piensa una cosa *porque ve* que es tal y como lo piensa. Parejamente, el amor ama porque ve que el objeto es amable, y así resulta para el amante la actitud ineludible, la única adecuada al objeto, y no comprende que los demás no lo amen —origen de los celos, que, en cierto giro y medida, son consustanciales al amor.

No es éste, por lo tanto, ilógico ni antirracional. Será, sin duda, a-lógico e irracional, ya que *lógos* y *ratio* se refieren exclusivamente a la relación entre conceptos. Pero hay un uso del término «razón» más amplio, que incluye todo lo que no es ciego, todo lo que tiene *sentido, nous*. A mi juicio, todo amor normal tiene sentido, está bien fundado en sí mismo y es, en consecuencia, *logoide*.

Me siento cada vez más lejos de la propensión contemporánea a creer que las cosas carecen de sentido, de *nous,* y proceden ciegamente, como los movimientos de los átomos, que un mecanicismo devastador ha elevado a prototipo de toda realidad[1].

Véase por qué considero imprescindible en un amor auténtico el momento de perspicacia que nos hace patente la persona del prójimo donde el sentimiento halla «razones» para nacer y aumentar.

Esta perspicacia puede ser mayor o menor, y cabe en ella ser vulgar o genial. Aunque no el más importante, es éste uno de los motivos que me llevan a calificar el amor de talento *sui generis* que admite todas las gradaciones hasta la genialidad. Pero claro es que también comparte con la visión corporal y la inteligencia el destino de poder errar. Lo mecánico y ciego no yerra nunca. Muchos casos de anomalía amorosa se reducen a confusiones en la percepción de la persona amada: ilusiones ópticas y espejismos ni más extraños ni menos

---

[1] Bien entendido que repudio la extralimitación del mecanicismo, no porque sea devastadora, sino porque es falsa, y, sobre esto, devasta el mundo.

explicables que los que cometen a menudo nuestros ojos, sin dar motivo para declararnos ciegos. Precisamente porque el amor se equivoca a veces —aunque muchas menos de lo que se dice— tenemos que devolverle el atributo de la visión, como Pascal quería: «Les poètes n'ont pas de raison de nous dépeindre l'amour comme un aveugle: *il faut lui oter son bandeau et lui rendre désormais la jouissance de ses yeux.» (Sur les passions de l'amour.)* [1]

Revista de Occidente, julio 1925.

---

[1] [En la primera edición de este ensayo, a su término se decía: «(Continuará)», pero ese anuncio no se cumplió.]

PARA LA HISTORIA DEL AMOR

I.—CAMBIO EN LAS GENERACIONES

El amor está en baja. Empieza a no llevarse. Tal vez el lector pregunte: Pero ¿es que existen también modas en el orbe de los sentimientos? La pregunta es trivial. Hay gentes que se apresuran a ostentar una pretendida profundidad mostrando su desdén por las modas. Por mi parte, cuando leo en un escritor que cierto estilo de pintura o determinada forma de ideología poco simpáticos a sus ojos —tal vez por no comprenderlos— son «no más que moda», detengo la lectura y no sigo. Es un síntoma infalible de que el escritor es poco inteligente y superficial.

La vida humana es en su propia sustancia y en todas sus irradiaciones creadora de modas, o, dicho en otro giro, es esencialmente «modi-ficación». ¿La vida humana?... Acaso toda vida. De suerte que no existe otra forma de manifestarse el proceso espiritual que la serie continua de las modas intelectuales, estéticas, morales y y religiosas. Como en los trajes y en las maneras, acaece con las ideas y las formas del sentimiento: que ciertos hombres las crean y otros las siguen. Para que la semejanza con lo que habitualmente se llama «modas» resulte más perfecta, no faltan nunca individuos que se oponen a la corriente, como el pez esturión, y, yendo contra la «moda», dejan que ésta regule también a la postre su conducta.

Digo, pues, que las cosas reputadas como las más serias marchan y varían regidas por el mecanismo biológico, esencial, de la moda, que así asciende a ley profunda de lo real, y claro está que si es así, así debe ser. Pero, a la par, conviene añadir que las modas en los asuntos de menor calibre aparente —trajes, usos sociales, etc.— tienen siempre un sentido mucho más hondo y serio del que ligeramente se les atribuye, y, en consecuencia, tacharlas de superficialidad, como es sólito, equivale a confesar la propia y nada más. Es sobremanera verosímil que un día no lejano el análisis microscópico y químico de una pestaña revele con anticipación la tuberculosis que se inicia apenas en un organismo o el cáncer que un hombre de veinte años va a tener a los cuarenta. Del mismo modo la simple moda hoy triunfante de llamarse de «tú» las personas a poco que se aproximen implica, para quien sepa mirar, todo el resto de los grandes cambios políticos y éticos que se avecinan.

Hay, pues, modas en los sentimientos. ¡No faltaría más! Así ahora el amor empieza a no llevarse, como decía al principio. Expresado el hecho con tales palabras damos a nuestra observación un tinte irónico o desdeñoso. No hay cosa viviente o que en algún sentido pertenezca a la vida que no ofrezca un haz desdeñable. Pero esa misma cosa tiene siempre otro grave, respetable, magnífico o temible. Depende de nuestro humor la elección de punto de vista: ambos aspectos son igualmente verídicos. El error consiste en suponer que sólo uno lo es. Entonces nuestra visión queda dañada de parcialidad. Para abrazar bien lo real, para apresarlo en su integridad, tenemos que lanzar hacia él los dos grandes tentáculos: el espanto y la ironía. Quien no se espanta —el *thaumázein* de Platón— no profundiza; quien no ironiza se deja arrastrar a lo profundo, naufraga, perece ahogado. Lo mejor es hacer como el buzo de Coromandel: que se sumerge hasta hallar en el abismo la valva preciosa; pero sale luego a la superficie iluminada trayendo la perla entre los dientes —gesto de sonrisa que multiplican las espumas innumerables sobre el haz marino.

El sentimiento amoroso tiene, como todo lo humano, su evolución y su historia, que se parecen sobremanera a la evolución y la historia de un arte. Se suceden en él los estilos. Cada época posee su estilo de amar. En rigor, cada generación modifica siempre, en uno u otro grado, el régimen erótico de la antecedente. Con frecuencia es tan débil la modificación, que se escapa al análisis y no se deja claramente definir. Esta es una de las razones que explican un hecho poco advertido, y, sin embargo, capital para el estudio del amor. Me refiero al hecho de que el hombre en plenitud no logra normalmente enamorarse más que de mujeres que pertenecen a su generación (es decir, aproximadamente de cinco a diez años más jóvenes que él). El muchacho, es cierto, se enamora con frecuencia de mujeres superiores a él en edad. Esto quiere decir que fácilmente adopta en forma transitoria el estilo erótico de la generación anterior. Pero lo mismo ocurre con las ideas. El joven vive una primera época de receptividad. Es absorbido por los maestros del tiempo antecedente. En esta recepción de lo ajeno se ejercita y moldea externamente su figura espiritual. Pero luego sobreviene una segunda época, de sinceridad creadora, de autenticidad vital, en que, madurecidas sus tendencias propias y originales, comienza a ser fiel a sí mismo. Entonces piensa sus propios pensamientos y elimina los recibidos. Entonces se desenamora de las mujeres mayores que él y entra para siempre a formar parte de la caravana de su generación con las mujeres de su tiempo, los poetas de su edad, las ideas políticas y el modo de andar inventados a los veinticinco años. Algún hombre de cuarenta años se enamora de una mujer de veinte; pero esto es una excepción, que la sociedad, sin darse bien cuenta por qué, siente como algo anómalo y, en cierta manera, monstruoso. No obstante, si no existiese alguna razón secreta y profunda, debiera parecer más natural que lo inverso. Lo que necesita explicación es que, normalmente, el hombre de cuarenta años prefiera la mujer de treinta, ya un poco macerada por las blanduras del otoño inminente, a la mujer de veinte años. Y, sin embargo, es así. Al hombre de cuarenta no le «sabe» amorosamente la mujer primaveral, porque no puede prenderse en ella su estilo de entusiasmo. Parejamente, cada estilo artístico comienza por preferir ciertos temas que son como materia afín y preformada, dócil a la modulación que aquel estilo va a imponerle. Sólo resulta preferida la mujer muy joven cuando no se trata de amoroso afán, sino de abstracta complacencia sensual, exenta de estilo, común a todos los lugares y tiempos.

No hay escape normal y satisfactorio de la caravana que forma nuestra generación. Vamos prisioneros en ella, a la par que secretamente voluntarios y satisfechos. De cuando en cuando se ve pasar otra caravana con su raro perfil extranjero. Tal vez, en un día festival, la orgía mezcla ambas; pero a la hora de vivir la existencia normal, la caótica unidad se disgrega en los dos grupos verdaderamente orgánicos. Cada individuo reconoce misteriosamente a los demás de su colectividad, como las hormigas de cada hormiguero se distinguen por una peculiar odoración. El descubrimiento de que estamos fatalmente adscritos a un cierto grupo y estilo de vida es una de las experiencias melancólicas que, antes o después, todo hombre sensible llega a hacer. Una generación es una moda integral de existencia que se fija indeleble sobre el individuo. En ciertos pueblos salvajes se reconoce a los miembros de cada edad por su tatuaje. La moda de dibujo epidérmico que se iniciaba cuando fueron adultos ha quedado incrustada en su ser irremediablemente.

La diferencia entre los estilos de dos generaciones consecutivas se manifiesta en todas las actividades, incluso en las más abstractas y que parecen menos sumisas a la mano del tiempo. Si hoy abrimos dos libros de la más alta matemática podremos descubrir, sin previas noticias, cuál de los autores tiene treinta y cuál sesenta años. Pero claro es que la divergencia estilística crece conforme de las funciones más abstractas e impersonales descendemos a las más concretas e íntimas. De aquí que sea la obra de amor el ejercicio donde el hombre advierte con mayor rigor su incompatibilidad con nuevos estilos de vida. Es verdaderamente penoso observar la torpeza, la incongruencia, con que un hombre maduro corteja a una doncellita. Y no por la diferencia abstracta de edad —tal vez el hombre maduro conserva sobradamente la frescura corporal—, sino porque vemos fronteros y antagónicos dos estilos de erotismo que no pueden engranar el uno en el otro.

Mas con todo esto no hemos podido acercarnos al tema inicial de estos párrafos. Quede para otro día el intento de definir la nueva moda amorosa, tan distinta de la que inspiraba a las generaciones anteriores, que, mirada desde éstas, más bien parece la negación del amor y hace decir a los viejos que el amor está en baja y empieza a no llevarse.

El Sol, 18 julio 1926.

II.—NOTA SOBRE EL «AMOR CORTÉS»

Vemos pasar el nuevo amor con vaga melancolía, como invitados que llegan tarde a un convite. Aunque seamos irremediablemente fieles a otra forma menos nueva de amar, presentimos las gracias peculiares de este estilo más reciente y las quisiéramos también. La vida es siempre apetitosa, y diez existencias diferentes no nos permitirían renunciar sin nostalgia a la undécima. Ello es que desde fuera vemos la nueva escena erótica, y como no participamos de la raíz vital que la engendra, sólo podemos acercarnos intelectualmente a su esencia. Y el intelecto es acto de comparar. Así el nuevo amor nos aparece sobre el fondo del que nosotros ejercitábamos destacando de él por sus rasgos diferenciales. Nuestro amor, con unas u otras modulaciones, pertenecía a la casta del siglo XIX. Era el «amor romántico». En las postrimerías del siglo, el fuego apasionado de sus comienzos se había entibiado en todas las esferas de la vitalidad. Tal vez por eso nos hacíamos la ilusión de que no éramos ya románticos de sentimiento ni literatura. Pero basta que sintamos el tirón histórico que nos mantiene adheridos a los abuelos románticos. Somos su progenie, próxima ya a una nueva especie más mesurada y cuerda. Ya Heine pretendía indecisamente no ser del todo romántico, y se titulaba «rey abdicado del imperio milenario del romanticismo».

El «amor romántico» es una de las creaciones más sugestivas de la evolución humana, y parece increíble que no se haya intentado jamás —al menos que yo sepa— su análisis y filiación. Esto indica que, aproximadamente, se halla todo por hacer y que aún es posible producir los libros más interesantes.

¡El amor romántico! He aquí un ejemplo de lo que antes he llamado «modas del amor». Sucedió a la galantería del siglo XVIII, que, a su vez, no era sino otra moda subsecuente a la «estima» del siglo XVII, al «amor platónico» del XV; en fin, al «amor cortés» del XIII y «gentil» del XIV. No hace falta acercarse, lupa en mano, al detalle histórico para que surja ante nosotros con su perfil diferente tan varia fauna erótica.

Tarea un poco más difícil sería caracterizar esas especies de amor, una por una. Cuando se habla de diferencias y variación en las cosas humanas se trata siempre de relatividades. Los ingredientes que componen el hombre son, al menos dentro de cada ciclo histórico, aproximadamente los mismos. La diferencia surge de la distinta combinación en que entren para producir la reacción psíquica. Se trata siempre de lo mismo, pero en forma diversa cada vez. *Eadem sed aliter*. En el amor colaboran la fantasía, el entusiasmo, la sensualidad, la ternura y muchos otros simples de la química íntima. La dosis en que entre cada uno y el rango que ocupe en la perspectiva total deciden del cariz que va a presentar el sentimiento amoroso.

Por lo pronto, conviene tener en cuenta lo siguiente: La persona humana es una entidad polarizada. Se compone de cuerpo y de alma, cuyas formas extremas constituyen los dos polos de la personalidad. Esto permite tomar al ser humano por uno de ellos, situándolo en primer término, subrayándolo, mientras el otro queda semioculto, latente o esfumado. Y hay, en efecto, épocas corporalistas que se fijan del hombre, sobre todo, en su carne, al paso que otras no ven en la carne sino el espejo del alma, el trozo de materia en que aquélla se expresa. Esta inclinación a anteponer el cuerpo o el espíritu es uno de los síntomas más radicales que definen un tiempo histórico. Se comprende que la posibilidad de esta doble perspectiva rinda dos especies distintas de amor y nos sirva para su clasificación.

Así el «amor cortés», descubierto y cultivado en las famosas «cortes de amor» desde el siglo XII, es una forma extrema de erotismo espiritualista. En el siglo XIV, Dante resume siglo y medio de «cortezía» cuando de Beatriz desea sólo el gesto, que es la carne en cuanto expresa alma. A Dante le enamora la sonrisa —el *disiato riso*— de la mujer ejemplar, que es para él «fin y perfección del amor».

> *Cose appariscon nello suo aspetto*
> *Che mostran de' piacer del Paradiso,*
> *Dico negli occhi e nel suo dolce riso.*

> (*Convivio*, trattato III.)

En este amor cortés es esencial la distancia. Es amor visual o de nostalgia, distancia en el espacio y en el tiempo. Es un amor en que todo lo pone el amante y vive de su poder entusiasta. Ni siquiera necesita conocer a la amada: su química, un poco cerebral, explota con sólo oir la alabanza de una dama. Así el trovador Amanieu de Sescas:

> E sabetz que vers es:
> C'om ama, de cor fi,
> Femma que anc non vi,
> Sol per auzir lauzar.

> (Y sabed que es verdadero:
> un hombre ama, de fino corazón,
> mujer que nunca vio,
> sólo por oírla alabar.)

El tema repercute en todo el coro semi-arcangélico de los trovadores. Hay uno, Jaufré Rudel, que yo llamaría de grado «el poeta del amor lejano», cuya canción perdurable dice siempre, con unas u otras voces:

> Qu'el cor joi d'autr'amor non a,
> mas d'aisella que anc non vi.

Por eso la poesía trovadoresca es en buena parte «loa», encomio; es decir, creación imaginaria inspirada por el entusiasmo, y no narración ni descripción, drama ni oda. Conocemos a Beatriz cuando se ausenta, cuando ha muerto: vemos sólo su rostro vuelto al alejarse, para dedicar al poeta il suo mirabile salute, un ¡adiós! ya ultrarreal, que queda vibrando en misteriosa palpitación erótica, como el eco de una música que alguien tañe, invisible, tras de un soto.

A nosotros nos parece este amor gentil por demás espiritado; pero conviene hacerse cargo de lo que significó a la hora de su florecimiento. La Edad Media, en su etapa más negra y más áspera, está al fondo. El hombre vive aparte de la mujer. La primera Edad Media sólo conoce sociedad de hombres solos; deporte venatorio, gran manducación, borrachera. De otro lado, la Iglesia aprieta las tuercas de un feroz ascetismo. Y he aquí que en ciertos blandos lugares de Francia se inicia audazmente la moda de afirmar algo terrenal —el amor. No podía esto hacerse sino en forma sutil y disfrazada. En efecto, el «amor cortés» vacila siempre entre un sentimiento real y una ficción simbólica. Los mismos trovadores lo dicen: se trata de un *Fenher;* de un fingir o «mentir cortés», juego de corte. Pero esto implica que era una creación del espíritu, algo que sobre el instinto se colocaba como engendro noble de las almas. Este amor no es compatible con ninguna realización sensual: vive en lejanía y soledad, como el ruiseñor. De aquí que fuese incompatible con el amor matrimonial, asentado en plena realización. Es pura dinámica amorosa, exenta de materia, la forma del amor sin la inercia de la carne. En rigor, el amor puro es el amor que no se realiza, todo tensión, afán, anhelo.

Vaya esta breve nota sobre el «amor cortés» como indicación de lo que podía ser una fenomenología de las especies eróticas.

El Sol, 29 julio 1926.

PAISAJE CON UNA CORZA AL FONDO[1]

Hacia 1793 había muchos hombres en Europa. Pero el hombre más hombre que había entonces en Europa era probablemente el capitán Nelson. Pues ¿y Napoleón? Napoleón era, más que hombre, superhombre o semidiós.

Por lo mismo que Nelson era tan exclusivamente y tan enormemente un hombre, parecía otras muchas cosas. El hombre, «medida de todas las cosas», es una encrucijada del universo y de él parten vías hacia todo lo demás que no es él. Prolongando sus facciones en un sentido o en otro, se arriba a imágenes espléndidas y monstruosas. La fantasía humana es una atmósfera densa donde se produce siempre el fenómeno de la *Fata Morgana*. Así, para un provincial neoclásico, como había tantos en la época, que leía las noticias de las gacetas, era Nelson un genio atlántico que iba imponiendo orden sobre los mares. Visto así, de lejos, Nelson era Neptuno. El provincial leía la gaceta junto a una chimenea sobre la cual había un reloj de bronce; la esfera se

[1] Albert Flament: *La vie amoureuse de Lady Hamilton*, 1927.

cobijaba en el rotundo seno de una ola metálica, donde se apoyaba, flotante, un dios desnudo con un tridente en la mano. Era Nelson. Pero visto de cerca era otra cosa, era otras muchas cosas; era un hombre pequeño y duro de gesto, áspero como una valva de marisco, con alma sombría y tempestuosa de tritón inglés. Un ser que no necesita para vivir de poesía, que la detesta y se la sacude, como el polvo del camino durante el día o los cínifes musicantes durante la noche. (Después de vivir en Nápoles las horas más deliciosas de su vida —horas de incendio amoroso sobre el área ya un poco desértica de la madurez—, todo lo que le ocurre decir de Italia es que es un insoportable país de violinistas, de poetas y truhanes.) Su vida de nauta se compone de ráfagas violentas que pasan sobre él llevándose algo de él: ahora un miembro, luego otro. ¡Fuera este brazo! ¡Fuera este ojo! Y lo curioso es que cada una de estas amputaciones y ausencias subraya más lo que en este pequeño hombre había de hombre enterizo. Su bravura se recogía sobre los miembros que le quedaban.

Antes de vencer en Abukir a la flota de Bonaparte, cala un día con sus fragatas panzudas en la bahía de Nápoles. Pasa a la Embajada inglesa, donde es recibido por el embajador, sir William Hamilton.

La humanidad es un concepto muy vasto y generoso: en uno de sus extremos puede alojarse el almirante Nelson; en el otro, el embajador Hamilton, y no se estorban.

Hubiéramos querido conocer a este señor, ser de sus amigos, departir con él. Porque era un hombre de mundo, gran coleccionista y gran escéptico. El escéptico es el hombre de vida más nutrida, más rica y completa. Una torpe idea nos lleva a presumir que el escéptico no cree en nada. Todo lo contrario. El escéptico se diferencia del dogmático en que éste cree en una sola cosa y aquél en muchas, en casi todas. Y esta multitud de creencias, frenándose las unas a las otras, hacen el alma muelle y deleitable. Hamilton es uno de los primeros en recoger objetos «clásicos», y él comienza las excavaciones de Pompeya. Su colección sin par está hoy, creo, en el *British Museum*.

Nelson es presentado a la embajadora y por primera vez el tritón se siente mordido por un poder indefinible. Bien: ya tenemos planteada la fábula, una fábula esencial, que todos los escritores y todos los filósofos se han afanado por esquivar. Yo también, por supuesto. La fábula es ésta: Nelson y Hamilton, los dos tipos más opuestos de varón que cabe imaginar, se han enamorado de la misma lady Hamilton. Claro es que todos los demás tipos intermedios han sucumbido también a su magia.

La fábula queda completa si contestamos a esta pregunta: ¿Quién es lady Hamilton?

Lady Hamilton es esta dama que pasa ahora con un penacho blanco, galopando sobre una jaca baya. Es íntima, demasiado íntima amiga de la reina napolitana María Carolina, hermana de María Antonieta, que ha forjado dieciocho hijos y aún reserva fuego para amar a esta inglesa. Emma Hamilton es la mujer más bella del Reino Unido, una «belleza oficial», que las gentes se señalan desde lejos como los monumentos nacionales. Canta con una grata voz y da en los saraos sesiones de «actitudes». Con unos chales, vestida helénicamente, hace de Clitemnestra o de Casandra, frunce el ceño trágico o melancoliza su divina faz, haciendo que en sus pupilas quiebre la luz de reflejo, como en las figuras de Guido Reni. El triunfo es enorme: se habla de estas «actitudes» en toda Europa. No se olvide: estamos en la hora que prepara el romanticismo. El corazón se sube a la cabeza. Se acepta la emoción como un alcohol; es un sabor nuevo, que embriaga, y la gente busca ahora, sobre todo, embriaguez. La mujer va a servir de tema o pretexto a la exaltación de los sentimientos. El tono de la época se declara en el vocabulario: a toda hora oís «divino», «sublime», «extático», «fatal». Se lleva la lágrima y la perla.

Todo esto es, mirado de lejos, simpático y gracioso. El teatro pasa a la vida, y la vida se abomba e hincha como una vela bajo el viento que sopla del escenario. No sé; pero esta teatralidad de la vida —que explica el triunfo romántico de las «actitudes» ejecutadas por Emma Hamilton— me parece más estimable que el principio contrario, vigente cien años después, cuando el teatro se preocupa en imitar a la vida.

Bien; pero esta Emma, amiga de la reina, embajadora y lady Hamilton, ¿qué era antes? Pues era querida del sobrino de Hamilton, del caballero Greville, que la traspasó a su tío. El la había encontrado en casa de un curandero que, mediante sacudidas eléctricas, devolvía la turbulencia a los decrépitos. Ante el sofá medicinal donde el paciente recibía las descargas, posaba de «Higea», de «Salud» esta muchacha maravillosa, que había sido criadita humilde, nacida de una cocinera. Ahora es embajadora de Inglaterra. No es fácil de menos llegar a más.

No basta la belleza —dirá el lector— para explicar tan ilustre ascensión. Esa mujer debió de tener un gran talento.

Para mí es este el punto decisivo de la fábula, el que todos solemos esquivar. Porque la verdad cruda es que lady Hamilton no tuvo nunca talento, ni siquiera fina educación, ni apenas gusto y buen sentido. Es la perfecta casquivana. Vivir es para ella ponerse y quitarse trajes, ir y venir de una fiesta a otra fiesta. Gastar dinero. No parar. Baile, gesticitos, invitar y ser invitada. Es la eterna mundana que, bajo uno u otro nombre, todos hemos conocido y de que casi todos nos hemos enamorado alguna vez. Por eso digo que la fábula es esencial y no una mera anécdota.

El lector, en vista de esto, se vuelve atrás y dice: «Debió ser una belleza soberana.» Sí, parece que sí; pero eso no explica tampoco que se enamoren de ella tan radicalmente hombres como Nelson y Hamilton. La belleza superlativa es un inconveniente para que hombres de fino sentir se sientan atraídos por una mujer. La excesiva perfección de un rostro nos incita a objetivar la persona que lo posee, a distanciarnos de ella para admirarla como un objeto estético. De las «bellezas oficiales» sólo se enamoran los tontainas y los mancebos de botica. Son monumentos públicos, curiosidades que uno contempla de lejos y sin detenerse. Ante ellas se siente uno turista y no amante.

Conviene, pues, que no escapemos de la cuestión por la ventana de la belleza. Sin una cierta dosis de ella, los dos héroes diferentes —Nelson y Hamilton— no hubiesen amado a Emma; pero lo que les atraía positivamente era otra cosa. Yo espero que el lector resista a la incitación plebeya y trivial de suponer que el amor en hombres de este rango nace del apetito sexual. Pero entonces topamos con un enigma...

Lady Hamilton, ágil, ligera, de cabos finos, de cabecita inquieta, aparece al fondo del paisaje como una corza. Es el paisaje que cuelga en casi todas las casas de Inglaterra. Lady Hamilton no tiene mucha más sindéresis que una corza. ¿Por qué se enamoran de ella dos hombres como Nelson y Hamilton?

La solución probable al enigma es bastante grave y no sé si atreverme a prometerla para el número próximo.

El Sol, 20 marzo 1927.

LA SOLUCION DE OLMEDO

Me he encontrado con Olmedo. ¿Que quién es Olmedo? Para mi gusto, un hombre admirable. Es inteligente y no es intelectual. Ignoro si los otros habrían tenido mayor ventura; pero lo que la vida ha puesto delante de mí me impone la enojosa convicción de que, al menos en nuestro tiempo, casi no hay más hombres inteligentes que los intelectuales. Y como la mayor parte de los intelectuales no son tampoco inteligentes, resulta que la inteligencia es un suceso sobremanera insólito en el planeta Tierra. Esta convicción, cuyo enunciado irritará tan justamente al lector, es también para el que la abriga sumamente penosa y azorante. Por muchas razones; pero, ante todo, porque partiendo de ella se hace enormemente probable que uno mismo no sea nada inteligente y, en consecuencia, que todas las ideas de uno sean falsas, incluso ésta que califica de hecho insólito a la inteligencia. Pero ello es irremediable. Nadie puede saltar fuera de su sombra ni tener otras convicciones que las que tiene. Sólo cabe solicitar que cada cual cante su canción con lealtad. Y la mía ahora podrá llevar el mismo título que el famoso sermón de Massillon *Sur le petit nombre des élus.* Nada ha sembrado en uno tanta melancolía como esta averiguación de que el número de los inteligentes es escasísimo.

Porque no se trata de exigir al prójimo genialidad. Por inteligencia entiendo tan sólo que la mente reaccione ante los hechos con alguna agudeza y precisión, que no se tome el rábano perpetuamente por las hojas, que no se confunda lo gris con lo pardo y, sobre todo, que se vea lo que se tiene delante con un poco de exactitud y de rigor, sin suplantar la visión con palabras mecánicamente repetidas. Mas, de ordinario, se tiene la impresión de vivir entre sonámbulos que avanzan por la vida sumergidos en un sueño hermético de que no es posible despertarlos para hacerles percatarse del contorno. Probablemente, la Humanidad ha vivido casi siempre en este estado sonambúlico en que las ideas no son reacción despierta y consciente ante las cosas, sino uso ciego, automático de un repertorio de fórmulas que el ambiente insufla en el individuo.

Es innegable que mucha parte de la ciencia y de la literatura se ha hecho también en trance sonambúlico; es decir, por criaturas nada inteligentes. Sobre todo, la ciencia de nuestros días, a la vez especializada y metodizada, permite el aprovechamiento del tonto, y así vemos a toda hora que hacen obra estimable personas que no podemos estimar. Ciencia y literatura, pues, no implican perspicacia; pero su cultivo es, sin duda, un excitante que favorece el despertar de la mente y la mantiene en ese alerta luminoso que constituye la inteligencia.

Porque después de todo la diferencia entre el inteligente y el tonto consiste en que aquél vive en guardia contra sus propias tonterías, las reconoce en cuanto apuntan y se esfuerza en eliminarlas, al paso que el tonto se entrega a ellas encantado y sin reservas.

Por esa razón del estímulo constante hay más probabilidades para que un intelectual sea inteligente; pero yo considero grave desdicha que en una época o en una nación la inteligencia quede prácticamente reducida a los límites de la intelectualidad. Porque la inteligencia se manifiesta sobre todo —no en el arte, no en la ciencia— en la intuición de la vida. Ahora bien: el intelectual no vive apenas, suele ser un hombre muy pobre de intuiciones, no actúa apenas en el orbe, conoce poco la mujer, los negocios, los placeres, las pasiones. Lleva una existencia abstracta y raramente puede arrojar un trozo de auténtica carne viva a los colmillos puntiagudos de su intelecto.

La inteligencia del intelectual nos sirve de muy poco: actúa casi siempre sobre temas irreales, sobre cuestiones de su propio oficio. Por eso es una delicia para mí encontrar a Olmedo, verle llegar sonriente, precedido por el doble florete de su mirada —mirada perforante y casi cínica, que parece levantar las faldas a todas las cosas para ver cómo son por dentro. Olmedo es banquero y hombre del gran mundo. Cuando atraviesa rápido por mi existencia, al fin y al cabo escuálida, como de intelectual, me parece un meteorito coruscante que llega cargado de áureo polvo sideral. Venga de donde venga, yo sé que viene siempre del Universo y que en su viaje, al paso, ha visto de soslayo lo que se hacía en Venus y ha dado en el anca una palmada a Neptuno. Olmedo sabe mucho también de libros; sabe tanto como un intelectual; pero no lo sabe en intelectual, sino en hombre de mundo. No ha permitido nunca que el eje de su persona quede hincado en ningún oficio, y por lo mismo limitado, sino que lo deja vagar a la deriva de su destino unipersonal. En otros tiempos, por ejemplo, en el siglo XVIII, debía haber muchos hombres así: nobles, financieros, propietarios, magistrados, que eran, sin embargo, inteligentes y se complacían en destilar de sus experiencias vitales ideas claras y distintas. (La situación actual de Europa —su incapacidad de resolver con gracia los problemas que tiene delante— sólo se explica si se supone que faltan hoy hombres de esta clase. Así como hay épocas, *verbi gratia,* al fin de la historia romana, en que el valor se enrarece y acaban por no ser valientes más que los militares, así hay otras en que la inteligencia se recluye en los intelectuales y se vuelve oficio.)

De Olmedo se habla mucho en una crónica aún no publicada —tal vez nunca publicada—, donde se describen con inquietante proximidad ciertas zonas de la vida madrileña en los días que corren.

—Ya he visto su artículo sobre lady Hamilton —me dijo Olmedo—. Ha hecho usted muy bien en subrayar lo que hay de esencial paradigma en el caso; pero ahora venga la solución del problema.

—El caso es, amigo Olmedo, que yo no tengo la solución.

—¿Lo dice en serio?

—¡Completamente en serio!

—Entonces es usted el gentilhombre burgués de la psicología.

—¿Por qué?

—Porque resuelve usted los problemas sin saberlo.

—¡A ver, a ver!

—Donde usted formula el problema enuncia, en rigor, la solución. Después de todo, lo que casi siempre acontece. Nuestros enigmas y preguntas suelen ser respuestas disfrazadas con los dos rizos postizos de la interrogación. Así acontece ahora. Nelson y Hamilton, dos hombres de temple opuesto, pero ambos de primera calidad, se enamoran de una mujer que, por su gracia gentil y su falta de sindéresis, viene a ser aproximadamente una corza. He aquí el problema, dice usted...

—En efecto.

—Sin embargo, yo no veo ahí ningún problema; antes bien, un hecho ejemplar y luminoso como una ecuación matemática. El problema lo añade usted porque se acerca a tan claro hecho con una idea preconcebida, que es ésta: los hombres valiosos no se enamoran de las corzas.

—¡Hombre, parece natural que un varón de alma

compleja y disciplinada no se sienta atraído por una criatura casquivana, de espíritu volátil, y, como dice un personaje de Baroja, «sin fundamento»!

—Sí, sí; parece natural; pero lo natural no es lo que nos parece a nosotros, sino lo que parece a la Naturaleza, que es mucho más natural que todas nuestras simetrías mentales y tiene siempre más sentido. Después de todo, ¿qué razón hay para que un hombre inteligente se enamore de una mujer inteligente? Si se tratase de fundar una industria, un partido político o una escuela científica, se comprende que un espíritu claro intente sumarse otros claros espíritus; pero el menester amoroso —aun dejando a un lado su dimensión sexual— no tiene nada que ver con eso; es precisamente lo opuesto a toda ocupación racional. Lejos, pues, de ser un enigma, el caso que usted plantea es la clave de la experiencia amorosa. Los hombres se enamoran de las corzas, de lo que hay de corza en la mujer. Yo no diría esto delante de las damas, porque éstas fingirían un gran enojo, aunque en el fondo por nada se sentirían más halagadas.

—Entonces, para usted, el talento de la mujer, su capacidad de sacrificio, su nobleza, son calidades sin importancia...

—No, no; tienen mucha importancia, son maravillosas, estimabilísimas —las buscamos y enaltecemos en la madre, la esposa, la hermana, la hija—, pero ¡qué quiere usted! cuando se trata, estrictamente hablando, de enamorarse, se enamora uno de la corza emboscada que hay en la mujer.

—¡Diablos, qué me dice usted!

—El varón, cuanto más lo sea, más lleno está, hasta los bordes, de racionalidad. Todo lo que hace y obtiene lo hace y obtiene por razones, sobre todo por razones utilitarias. El amor de una mujer, esa divina entrega de su persona ultraíntima que ejecuta la mujer apasionada, es tal vez la única cosa que no se logra por razones. El centro del alma femenina, por muy inteligente que sea la mujer, está ocupado por un poder irracional. Si el varón es la persona racional, es la fémina la persona irracional. ¡Y ésta es la delicia suprema que en ella encontramos! El animal es también irracional, pero no es persona; es incapaz de darse cuenta de sí mismo y de respondernos, de darse cuenta de nosotros. No cabe trato, intimidad con él. La mujer ofrece al hombre la mágica ocasión de tratar a otro ser *sin razones,* de influir en él, de dominarlo, de entregarse a él, sin que ninguna razón intervenga. Créalo usted: si los pájaros tuviesen el mínimo de personalidad necesario para poder respondernos, nos enamoraríamos de los pájaros y no de la mujer. Y, viceversa, si el varón normal no se enamora de otro varón es porque ve el alma de éste hecha toda de racionalidad, de lógica, de matemática, de poesía, de industria, de economía. Lo que desde el punto de vista varonil llamamos absurdo y capricho de la mujer es precisamente lo que nos atrae. ¡El mundo está admirablemente hecho por un excelente oficial, y todas sus partes se ensamblan y ajustan que es una maravilla!

—¡Es usted estupefaciente, amigo Olmedo!

—La idea, pues, de que el hombre valioso tiene que enamorarse de una mujer valiosa, en sentido racional, es pura geometría. El hombre inteligente siente un poco de repugnancia por la mujer talentuda, como no sea que en ella se compense el exceso de razón con un exceso de sinrazón. La mujer demasiado racional le huele a hombre, y en vez de amor siente hacia ella amistad y admiración. Tan falso es suponer que al varón egregio le atrae la mujer «muy lista» como la otra idea que las mujeres mismas insinceramente propagan, según la cual, ante todo, buscarían en el hombre la belleza. El hombre feo, pero inteligente, sabe muy bien que, a la postre, tiene que curar a las mujeres del aburrimiento contraído en sus «amores» con los hombres guapos. Las ve refluir, una tras otra, de arribada forzosa, infinitamente hastiadas de su excursión por el paisaje de la belleza masculina.

—Amigo Olmedo: si usted fuese escritor y escribiese todo eso que me está diciendo, lo colgarían a usted de un farol...

—Por eso no escribo. ¿Para qué escribir? No es posible transmitir las propias evidencias. Es muy raro que alguien se disponga generosamente a entendernos con exactitud. Pero, después de todo, esto que yo digo lo dijo ya en cifra, muchos años hace, nuestro amigo *Fede*. (Olmedo llama *Fede* a Federico Nietzsche.) Allí donde enumera los rasgos característicos del hombre mejor, que él denomina el «distinguido», encontramos éste:

«La complacencia en las mujeres, como en seres de especie menor acaso, pero más fina y ligera. ¡Qué delicia encontrar criaturas que tienen la cabeza llena siempre de danza y caprichos y trapos! Son el encanto de todas las almas varoniles demasiado tensas y profundas, cuya vida va cargada de enormes responsabilidades.»

El Sol, 27 de marzo 1927.

MEDITACION DE LA CRIOLLA[1]

I

[HACIA LA CRIOLLA]

¡Buenas noches!

Lo siento mucho, pero tengo que comenzar dando a ustedes un susto; tengo que comenzar con un grito: «¡Socorro!», porque en este momento un hombre se está ahogando. ¡Sí!, por lo pronto, asisten ustedes a una escena de naufragio. ¡Qué le vamos a hacer! Son cosas que pasan en la vida. La vida es todo: la hora de la delicia y la hora del naufragio. Y en la ocasión presente tenemos que partir de esta última, que es una escena penosa. Sí, ¿no le ven ustedes? Allá lejos, en un lejos que no se sabe dónde es, en un punto de la inmensidad convulsionaria que es un mar borrascoso, sacudido por el espasmo de sus olas gigantes, entre las espumas blancas y el verde atroz del agua salobre —¡sí, allí!, a

---

[1] [Emisiones radiofónicas en Buenos Aires, diciembre, 1939. Publicadas en el libro póstumo *Meditación del pueblo joven,* Buenos Aires, 1957.]

cien metros de la roca—, un hombre se ahoga. Ha braceado enérgico para mantenerse a flote; pero el mar ha podido más, y se le traga, le absorbe —¡como si nada! Ya no se ve de él más que una mano, una mano que se agita entre lo blanco y lo verdusco. En esa mano, último resto visible de un hombre, sentimos todo el hombre: en ella se ha retirado y concentrado cuanto él era: su cerebro y su corazón; su carne elástica, capaz de lucha y de voluptuosidad; sus ilusiones y sus proyectos; su desesperación y sus esperanzas...

Los chinos, que son los seres más corteses del mundo, y que por eso consideran, con razón, al europeo y al americano como unos groseros bárbaros, han encontrado los más bellos eufemismos para nombrar lo enojoso, y a la amarga cosa que es morir la llaman «descender al río»; esto es, sumergirse; y en vez de decir que alguien ha muerto, dicen que «ha saludado a la vida». ¿Verdad que es suave y sutil y elegante esa manera de decir? La imagen que hay tras ella es el náufrago del cual lo último que se ve son los brazos, las manos que se crispan en un ademán de «adiós», de «adiós» a la existencia, de radical despedida... El náufrago es para nosotros un hombre que cuando le vemos le vemos desaparecer o estar a punto de ello y del cual sólo percibimos un último residuo de su ser que se sumerge.

El hombre que en este momento se ahoga ante ustedes —ante los que me están oyendo en toda la ancha Argentina— soy yo. La mayor parte de ustedes no sabían nada de mí hasta este instante, y la mayor parte de los que saben de mí no me han visto nunca, y he aquí que unos y otros me descubren en el instante en que yo desaparezco, en que me sumerjo en lo invisible, me borro del mundo corpóreo como volatilizado, y de mí queda para ustedes y de mí tienen ustedes sólo una supervivencia residual, algo menos aún que una mano crispada entre la espuma —porque la mano es, al fin, y al cabo, un cuerpo, un trozo de cuerpo, una cosa, y lo que de mí está ahora ahí, entre ustedes, presente y representándome, es menos que una cosa, es un mero acontecer, algo que está pasando de segundo a segundo—, *mi voz,* mi voz, que dice su decir, y el decir no es una cosa, sino un acto que muere conforme va naciendo; por tanto, no una cosa que es, sino algo que pasa, que pasa ahí, en esa reunión donde están ustedes escuchándome, salón de Buenos Aires, vasto y silente aposento de estancia, bar inquieto de ciudad provincial o de villa remota, rancho que huele a flor y a hacienda.

Yo tengo que trasladar todo lo demás que soy a eso solo que queda de mí —la voz—; tengo que escorzarme íntegro en ella, en mi pobre voz que acaba de deslizarse, no se sabe cómo, en esa pieza donde están ustedes, por la cual avanza vacilante, a tientas, porque es ciega, y por lo mismo, como los ciegos, es toda ella, a la vez que voz, manos y dedos y yemas de los dedos, que son, después de los ojos, el lugar donde el hombre ha concentrado más dosis de alma, donde más sabe vivir, donde más sabe morirse.

Comprenderán ustedes que desde aquí, desde este abismo en que me he sumergido y anulado, imagino muy bien todas las aventuras de mi voz que anda por ahí errabunda, que yo no puedo dirigir para que no entre en tal lugar y se insinúe, en cambio, en otro, y camina indefensa con anhelos y humildades de can sin dueño, segura de recibir duros empellones compensados por vagas caricias.

Ya en ese instante habrá tropezado mi voz y se habrá hecho daño contra más de un alma hermética, resuelta a no escuchar, que está ahí, junto al aparato de radio, oyendo precisamente para no escuchar, para cerrarse más y más a la pretensión —ciertamente no espontánea, sino solicitada—, a la pretensión que mi voz lleva de ser oída.

En cambio, también en este instante mi voz habrá encontrado, desde la segunda palabra, almas que le ofrecen generosas su porosidad, decididas a escuchar todo, a absorber todo, incluso las pausas. Así es siempre la vida, y ésta es su mayor gracia: la naturalidad con que ella, gran hilandera, en todo instante nos entreteje el esplendor y la miseria.

Ya saben ustedes que, durante tres miércoles consecutivos, a esta hora, voy a hablarles sobre un solo tema que titulo: *Meditación de la criolla.* El tema es estupendo, el tema es pavoroso: difícilmente habrá otro de mayor peligro, y hace falta ser todo lo insensato que es en su último y más valioso fondo el español para resolverse a tratarlo. Pero debo decirles también que es uno de los temas que desde más tiempo atrás se me pasean cálidamente por el alma sin que nunca haya hablado a fondo sobre él. Había que esperar, esperar hasta que se ofreciese la forma adecuada para hablar de él. Había que hablar de él ausentándome yo, había que hablar desde lo invisible. Por eso he querido que no haya aquí nadie, para poder ser, en efecto, no más que una voz, voz anónima que trota por las pampas y se enreda en las sierras.

Porque es un tema grave y delicado. Hubiera querido darle como título *Misterio de la criolla,* pero la palabra misterio tiene en el lenguaje vulgar un significado trivial e impertinente ahora; significa enigma, secreto, y, por tanto, ese título hubiera sugerido el propósito de entrar en ridículas elucubraciones sobre lo femenino, como las que estaban y en parte siguen estando de moda; cosas de esas que se dicen sobre la mujer, dándoselas de listo, guiñando un poco el ojo, para dar a entender que está uno en el secreto, que se sabe uno de memoria lo que es la mujer, especialmente la mujer de estos países nuevos; por tanto, que ha sido un hombre de buenas fortunas, salteador de alcobas y gran loco-lindo ante el Altísimo; en fin, para usar la expresión horrenda, símbolo de la seudoviveza, la expresión que en Buenos Aires, hace cuarenta años, escupían los compadritos: yo me barajo todo en la uña

No; yo no me barajo nada en la uña. De la uña me acuerdo sólo al cortármela, lo cual quiere decir que evito la manicura. No; yo no soy listo. Hace ya muchos años que el europeo renunció para siempre a la listeza. El hombre ensaya una forma de vida —por ejemplo, el ser listo—, la desarrolla durante unas cuantas generaciones, la lleva a sus útimas consecuencias y así descubre que, aun en el mejor caso, esa forma de vida es insuficiente, que es un error. Entonces la abandona, es una experiencia hecha que se conserva para el futuro, pero que queda ya inscrita en el pasado. Así el europeo, a fuerza de ser listo, ha aprendido el encanto y la utilidad de no serlo. El listo se dedica a andar hurgando en las cosas, a hacer carantoñas delante de ellas, en vez de abrirse sin más e ingenuamente a ellas, de dejarlas ser —ser lo que las cosas son— y así nutrirse y enriquecerse con su efectiva sustancia. La listeza es un arcaísmo, me permito advertirlo y subrayarlo. Todo lo grande y noble escapa a ella. El hombre se ha debilitado y entontecido, tras dos siglos de listeza, y ahora, entre las ruinas de ésta, comienza a redescubrir la ingenuidad.

He aquí por qué no he titulado estas conferencias *Misterio de la criolla;* era para los oyentes normales un título listo y me repugnaba, como me repugna todo el resto, el loco-lindo, el salteador de alcobas, el *homme à femmes* de las novelas francesas, que sea dicho desde luego, es todo lo contrario del fiero, magnífico, trágico y español Don Juan.

El misterio de que yo voy a hablar es misterio en el sentido que esta palabra tuvo, allá, donde nació, en la más antigua y profunda Grecia, y que conservó nuestra madre Roma, y que aún tenía en la Edad Media de Francia y España. Misterios son aquellas realidades radicales de que brota nuestro destino, el de nuestra persona y el de nuestra nación, realidades tan hondas, tan poco asequibles a nuestra inteligencia, que sólo las entrevemos, y eso que de ellas entrevemos nos causa un peculiar pavor —el terror religioso—, el cual, a diferencia de los otros miedos que nos incitan a huir, nos atrae a la vez que nos amedrenta, nos retiene, nos fascina. De aquí los dos adjetivos que los romanos, los hombres más religiosos de la antigüedad, unían a la palabra misterio: *Misterium tremendum,* misterio pavoroso, y *Misterium fascinans,* misterio fascinante.

Yo deseo que entremos en la meditación de la criolla con un temple no muy remoto del que suscitan los temas religiosos. Porque no se trata de recónditos enigmas psicológicos, más o menos remilgados, que arrastran damiselas transeúntes, sino de una realidad enorme que actúa y opera desde hace siglos en plena luz de la Historia, que ha colaborado en la de Europa desde hace ciento cincuenta años, y que es, tal vez, el problema decisivo para el futuro de estos países americanos. Porque una nación es, ante todo y sobre todo, el tipo de hombre que va logrando hacer, y ese tipo de hombre, dominante en la historia de un pueblo, depende de cuál sea el tipo de mujer ejemplar que fulgura en su horizonte.

Como el tema es serio, y es grave, y es conmovedor, yo necesito que sean ustedes generosos —el sabio lo mismo que el ignorante, pues quisiera llegar a todos, que sean generosos y me abran un crédito de paciencia—, y no extrañen que tardemos mucho en llegar verdaderamente a lo central del tema, porque no puedo acercarme a la criolla, así, de pronto, no voy a asaltar, como si fuese yo un joven capitán de caballería. Y no es que tenga nada malo que decir sobre el capitán de caballería. Posee sus maneras y sus modos. Está perfectamente siendo lo que es, como estaría mal yo si imitase su estrategia. Yo no soy ningún paje, sino, más bien, lo contrario. Déjeseme, pues, mi estilo: yo y ustedes conmigo vamos a acercarnos a la criolla sin petulancia ni caracoleos, paso a paso, lentamente, para que no se nos ausente, y no huya y se nos escape de entre las manos que la anhelan. Porque en la mujer —y la criolla es como veremos, el superlativo de la palabra «mujer»— en la mujer hay siempre algo de corza, para ventura de ella, para derrota nuestra, y cuando esa corza latente se pone alerta, estamos perdidos, porque hace lo que hacen todas las corzas: se estremece maravillosamente sobre sus finos cabos, vuelve desdeñosa la deleitable cabecita y parte veloz en fugitiva carrera. El arma de la corza es la fuga. Y nosotros, siempre ingenuos, obsesionados por darle caza, seguimos, seguimos adelante sus casi irreales pistas, la perseguimos, y ella, entre galopes y corcovos, nos va atrayendo hacia el fondo arcano del bosque, hacia el lugar mágico donde se operan los encantamientos. Si esto pasa no hay ya nada que hacer. Quedamos encantados... y mudos. Y ahora se trata de no encantarnos, sino de resistir, por lo menos, de resistir durante estos tres ratos al encanto, para guardar distancia de la criolla y poder verla y decir lo que vemos. Las cosas para ser vistas y bien vistas reclaman una determinada lejanía.

Amigos, ¡ánimo! Conservemos nuestra serenidad y mantengámonos dueños de nosotros mismos. ¿Recuerdan ustedes la balada romántica del formidable poeta Heine que se llama así mismo último rey abdicado del reino milenario del romanticismo? Harald Harfagar era el rey de los vikingos, los héroes navegantes de los mares del Norte que agitaron esforzadamente la primera Edad Media. Harald fue quien dio cima a las más famosas hazañas, pero se enamoró de la dama del mar, de la venus marina que sabía encantar y que habitaba en lo profundo de las aguas su palacio de cristal. Allá la siguió Harald y allí vivió hechizado años y años que no traían vejez. De cuando en cuando, las barcas de los pescadores escandinavos pasaban rasgando con sus quillas llenas de ovas el haz de la mar, bogaban cantando las viejas hazañas de Harald Harfagar. Este, al oír desde el abismo delicioso esas canciones, sentía rebrotar su heroísmo, se incorporaba, quería volver al mundo y proseguir sus hazañas. Pero la venus marina se inclinaba entonces sobre su frente, hacía pesar sobre él la mirada de sus ojos verdes, y el pobre Harald volvía a caer inerte, prisionero de su hechizo.

Vamos, pues, con cautela, que el espacio está poblado de mágicos peligros. Los hombres del antiguo Mediterráneo descubrieron que había un medio, un solo medio, para libertarse del encanto del canto que hacen las sirenas, y era... cantarlo al revés. Así nosotros, en vez de acercarnos, sin más, a la criolla, vamos por lo pronto a hacer lo contrario, a alejarnos un poco, a contemplarla bajo la gran perspectiva de la Historia. Porque es preciso que nos pongamos de acuerdo sobre el significado de la palabra «criolla». Durante mi viaje anterior a la Argentina observé con sorpresa que al emplear esta palabra delante de señoras porteñas la reacción de éstas era más bien negativa y como de ofensa. No les es grato oírse llamar «criollas», un vocablo que yo les lanzaba con todo entusiasmo, como si él solo fuese ya un madrigal. Entonces caí en la cuenta de que esa voz, como tantas otras, ha tenido mala suerte. Sin perder su sentido normal y permanente en la gran masa de las hablas españolas, ha adquirido en la Argentina un significado secundario que tiene carácter despectivo. Y como suele acontecer cuando una palabra tiene dos sentidos, uno bueno y otro malo, es éste el que se pone delante, el que se adelanta primero. Pasa lo mismo que en la moneda, según la famosa ley económica de Gresham, que la moneda mala hace desaparecer la buena, retira a ésta de la circulación, concentrándola bajo tierra en los tesoros ocultos.

De este sentido despectivo —o, como dicen los filólogos, peyorativo—, que tiene la palabra «criolla» me guardaré muy bien de decir nada. Ni siquiera me atrevo a descubrir ese sentido que para ustedes tiene. Hacerlo me parecería una insolencia y una estupidez por mi parte. Porque ese sentido peculiar que el vocablo ha adquirido aquí es un hecho intranacional de la Argentina y un suceso íntimo de este país. Diríase que no es cosa de monta el hecho cotidiano de modificar una palabra su sentido. Pero la verdad es que esos cambios, tan poco importantes en apariencia, proceden de cambios histórico-sociales acontecidos en el país, a veces profundos y graves; en ellos transpira alguna grande experiencia y aventura y vicisitud de la nación, son síntoma abreviado de un trozo de su vida, por tanto, de las secretas ilusiones y las secretas angustias de la vida de un pueblo. Yo vivo desde hace años en una indignación sin riberas, y me siento avergonzado y humillado, en cuanto hombre, cuando oigo y leo cómo hablan los hombres de una nación de lo que pasa dentro de otra. Ello revela la bestialidad, la bellaquería y la imbecilidad que está adueñándose del mundo. Pero ¿qué idea tienen esas gentes de lo que es una nación, no de lo que deba ser, de lo que nosotros quisiéramos que sean esas realidades que se llaman naciones, sino de lo que son, en verdad y de hecho, queramos o no? Si lo supieran —si no fuesen tan desalmados y tan torpes—, sabrían que una nación es una intimidad, un repertorio de secretos, en un sentido prácticamente idéntico a lo que pensamos cuando hablamos de la intimidad de una persona, del arcano solitario e impenetrable que es toda vida personal. Y, por tanto, es perfectamente ilusorio creer que conocemos lo que en una nación pasa. Cuanto hablemos sobre ello será una equivocación, una confusión, y, como decimos en España, un tomar el rábano por las hojas. Quien crea lo contrario es que es un estúpido, totalmente incapaz de distinguir entre lo que de verdad entiende y lo que de verdad no entiende. Para no aludir sino al hecho nacional más primario y elemental: ¿quién que no sea un estúpido puede creer que conoce de verdad un idioma extranjero? Sólo el que haya vivido casi íntegra su vida en ese país extraño podría pretender conocerlo; pero entonces, si ha vivido allá, toda o casi toda su vida, ¿de dónde es en verdad ese hombre, a qué nación, en efecto, partenece? El lenguaje es un secreto de los naturales de un país, y claro está que lo son en mayor potencia todas las otras dimensiones más complejas de su vida, como la política, la literatura, el modo de conversar y el modo de ser en amor feliz o sin ventura. La mayor parte de las congojas que ahora sufre el Occidente proviene de que cada nación se cree informada de lo que pasa en la otra nación porque sus periódicos publican muchos telegramas y muchas crónicas periodísticas datadas de todos los puntos del orbe. Y toda esa información estaría muy bien y sería benéfica si se tomase exactamente como lo que es, a saber: como datos externos y superficiales de lo que pasa en otros pueblos; pero nunca como representación adecuada de su realidad. Como el saber de la materia exige laboratorios y matemáticas y técnicas difíciles, el saber de la vida humana, personal o nacional, exige inexcusablemente vivirla. No hay otro modo de saberla. Lo demás es, a la par, mera insolencia y pura estupidez. Como esto lo dije en su hora y en inglés a los ingleses, que son los hombres a quienes más estimo y, a la vez, los que más a fondo han cometido este error, bien puedo repetirlo ahora.

Si yo hablase de ese detalle insignificante que es en la vida de ustedes el sentido despectivo de la palabra «criolla», me parecería que invadía toscamente su intimidad, la colectiva y la individual de ustedes. Porque en ese cambio de sentido sobreviven luchas civiles que hubo en este país. Y, además, cometería errores, porque, en efecto, con última y eficaz precisión, yo no puedo representarme lo que se levanta en sus almas cuando esa palabra las roza. Pero, además, no nos hace falta, pues claro está que la criolla de que voy a hablar es la otra, la aludida en la significación normal y permanente de este vocablo, que se origina en las colonias portuguesas, donde se comenzó a llamar *crioulo* al nacido de padres europeos en las tierras nuevas. Del *crioulo* portugués nació el «criollo» castellano, y de éste, el *créole* francés.

Lo que tenemos, pues, a la vista es, por tanto, el hecho amplísimo de una variedad femenina que apareció en la especie humana cuando gente de Francia y de Portugal, y sobre todo de España, a la vez esforzadas y ardientes y apasionadas e indolentes, vinieron al Nuevo Mundo y en las glebas, como vírgenes, renovaron su afán de existir y dieron nuevo gálibo a su vida. Gálibos se llaman los bellos dibujos que se hacen en los arsenales para construir las naves, de tan mórbidas formas, y obtener el delicioso alabeo de su maderamen. Como en Cádiz hay arsenales, yo supongo que de gálibo viene la palabra tan andaluza «garbo».

Naciones nuevas son estilos nuevos de humanidad. En la criolla se iniciaba un nuevo modo de ser mujer, de esa cosa tan temerariamente difícil que es ser mujer. ¿Cuáles son los atributos, las características, de esa nueva forma de feminidad? ¡Pues no andan ustedes con poca prisa! ¿Por qué me hacen ustedes esa pregunta ya? Todavía nos quedan dos noches de dos miércoles. Si decimos ahora y sin más lo que es la criolla no tendríamos más que conversar, y, además, si yo lo hubiese revelado desde el comienzo o lo dijese ahora mismo, no me entenderían. ¡Es muy difícil entenderse! A veces pienso que los hombres hemos venido al mundo a no entendernos. Antes de irnos a fondo sobre lo más tierno del tema, tienen ustedes que habituarse a esa voz superviviente de un hombre desaparecido y a otras cosas preparatorias del asunto que, sin darse mucha cuenta, tienen ya dentro. Tengan paciencia. ¡No sientan apuro de llegar! Piensen que acaso tiene razón Cervantes —que tanto sabía del vivir—, cuando aseguraba que después de todo es más divertido el camino que la posada. En la vida, amigos, lo importante no es llegar, sino ir, estar yendo.

¿Cómo se forma y evoluciona ese tipo de mujer que es la criolla y que, en mi opinión, se inicia inmediatamente, ya en las hijas que engendran aquí los conquistadores y los primeros colonizadores españoles, portugueses y franceses? No lo sabemos, aunque, a mi juicio, hay datos sobrados para averiguarlo. Pero no se ha hecho la historia de la criolla, como, en general, no se ha hecho la historia de la mujer. Hasta ahora la Historia ha solido ser como esos espectáculos en que un cartel ostenta la consabida prevención. «Sólo para hombres.» Si bien en estos espectáculos pasa lo contrario, porque tras ese cartel lo que se suele ver es precisamente mujeres que un empresario bellaco ha desnudado, y en cambio la historia al uso es, en efecto, sólo historia de hombres y entre hombres. La mujer no suele aparecer sino cuando hace alguna gran trastada, o menos aún, cuando un hombre hace por culpa de una mujer una trastada.

Desde hace muchos años trabajo en una reforma radical de la historiografía. Si continúo algún tiempo en la Argentina expondré, por primera vez en conjunto, el resultado de mi trabajo. Pues bien, sólo un detalle de esa sistemática renovación de la Historia consiste en la advertencia humildísima, perogrullesca, de que la historia humana no es sólo historia de varón, sino también de la mujer. Esto es preciso tomarlo en serio y hacer, en efecto, la historia de ambos sexos y lo que —como veremos el próximo miércoles— es más importante: la historia de la relación entre hombre y mujer, que es una de las más decisivas variables históricas. Lo que hay tras estas palabras dudo que lo presuman ustedes, pero estén seguros que no tiene nada que ver con cuestiones de alcoba, las cuales, como dije antes, detesto cordial-mente.

La Historia atiende a la mujer cuando es política y quiere gobernar, o cuando, amazona, se lanza a la guerra, tal vez para conquistar los senos que le faltan, pero no presta la atención debida a la actuación de la mujer como mujer. Si se hubiesen tenido atisbos de las formas peculiares que toma la influencia femenina en la Historia, la fama de la criolla, que ya es grande, gracias a sus gracias, sería mucho mayor porque se habría visto, por ejemplo, una cosa tan evidente y tan de primer rango histórico como ésta que por vez primera digo en público y por vez primera van ustedes a oír.

La Revolución francesa taja hasta la raíz la civiliza-ción europea. En una convulsión feroz y subitánea aniquila casi todas las formas tradicionales de vida, las normas, los usos, los modos de ser hombre y de ser mujer. La mujer del antiguo régimen había culminado en un tipo de feminidad que podríamos llamar el tipo Pompadour si no fuera porque esta genial marquesa era anormalmente frígida. La mujer del siglo XVIII no era frígida, sino más bien lo contrario: sus sentidos estaban despiertos y voraces. Era muy sensual y muy espiritual. Pero lo que hace falta entre medias de esas dos cosas y vale más que ellas —el alma— estaba ausente. Por eso la mujer del XVIII es una mujer sin temperatura. El calor humano se engendra en esa zona de nuestro ser que con un nombre vago llamamos sentimientos y que forman el alma por excelencia, la ciudadela del alma, y que localizamos simbólicamente en el corazón —«breve nido de venas azules», decía Shelley—, donde la sangre parece como hervir. Porque la mujer dieciochesca no tenía temperatura de alma, sino sólo la fría inteligencia y el fuego sin calor de los sentidos, todo el siglo XVIII, sin duda grácil e ingenioso y elegante, era un paisaje polar. Los hombres y las mujeres marchaban a la deriva como témpanos. Sólo hacia 1760 empieza a licuarse el témpano bajo el soplo tenue de vagas sensiblerías, de lo que se llamó la *sensibilité* y que consistía, no más, que en tener la lágrima pronta y llorar por todo. La Revolución, ciclón furibundo, barre todo eso y no queda nada, o poco menos. Hay que inventar una nueva vida, nuevas maneras de ser. Y he aquí que en el hueco social que dejaron las marquesas guillotinadas o emigradas surgen en Francia, país entonces rector de Europa, unas cuantas criollas. Josefina, la de Napoleón, es la menos interesante, aunque más digna de atención de lo que se suele creer. E inmediatamente, el clima humano cambia. La vida se carga de súbito con una ignota temperatura. El reino del alma comienza y con él su expresión artística, que es el romanticismo. Aquellas criollas inventan sin quererlo, simplemente *siendo,* un nuevo tipo de mujer europea, precisamente el que con una u otra tonalidad ha dominado hasta hace veinte años, la mujer romántica, tal vez el tipo de mujer más perfecto hasta ahora. Y, como es inevitable, esa nueva feminidad irradia su influjo e impone su modulación en todas direcciones. Para ella inventa su nueva prosa genial Chateaubriand, y se extenúa en líricos temblores Lamartine, y caracolea petulante Musset, y ulula sus sermones el padre Lacordaire. Es toda una *vita nova* que emerge de un gesto de mujer, de un gálibo criollo, como la otra, la de Dante, brotó íntegra de una deliciosa mueca de desdén que hizo una mañana en Florencia Monna Bice Portinari.

Como ven ustedes, esto de la criolla no es ningún jueguecito. En broma, al acercarnos a ella, lentamente, hemos tropezado con la historia universal. Yo he estudiado las vidas de esas criollas que pusieron la huella de su ser en el curso del mundo, y, si he de serles franco, no he quedado satisfecho. Sí, son figuras no exentas de interés; sí, son criollas —¿cómo no? ¡Criollas!—, pero ¿son *la* criolla, la auténtica criolla, esa hacia la cual camina lenta y, ocultamente apasionada, mi sinuosa meditación?

Ya el hecho de que sean francesas me hace dudar. No porque yo no venere a la mujer de estirpe francesa, sino porque no es fácil, no es fácil que en un medio francés y estrecho, como son las pequeñas colonias antillanas de Francia, la criolla pueda florecer en perfección. Quedemos en que son aproximaciones a la criolla, alusiones a ella, pero no la criolla misma.

Porque eso a que yo doy este nombre es una realidad sumamente improbable. No debe creer cualquiera criatura que me escucha —y perdóneme la insuficiente galantería— que por haber nacido entre el Aconquija y el Plata es ya *la* criolla. En la historia humana lo decisivo es lo excepcional. Las reglas se forman para preparar la excepción, y la excepción, generosa, da secretamente lo mejor de su jugo a la regla, que sin él sería banal.

Pero ¿qué es esto? ¿A lo mejor resulta que *la* criolla no existe, que es pura imaginación, exigencia exorbitante y forma extrahumana? ¡Ya veremos, ya veremos! Aún nos quedan dos noches para hacer nuestra investigación, que ahora está ya preparada y puede avanzar recta a nuestro blanco. Pero confesemos que hoy terminamos inquietos, insatisfechos e indecisos. A lo mejor hay criollas, pero no *la* criolla.

Como fue lícito a Dante confundir la teología con Beatriz, séame permitido a mí, más modestamente, confundir por un momento, la filosofía con la criolla. Lo digo por esto. En Grecia, la palabra filosofía no significa lo que ahora: con ella se denominaban todas las ciencias. Pero el gran patrón de mi gremio, Aristóteles, buscaba una ciencia —la que hoy llamamos especialmente filosofía—, que era un conocimiento más radical, más integral, una ciencia sublime, que no sabiendo ya cómo nombrarla, Aristóteles concluyó dándole un nombre conmovedor —conmovedor y no cursi, como es el nombre «filosofía»—: a esa ciencia sublime, hacia la cual va su afán, la llaman sencillamente ἡ ζητουμήνη, la buscada. Es decir, que de esa ciencia tan perfecta y suprema no se sabe más, no se tiene sino eso: el hecho de que el hombre la busca.

¿No será también criolla la que se busca? ¿No resultará, a la postre, que la única realidad de *la* criolla es nuestro afán hacia ella, nuestro ardiente buscarla?

Veremos, veremos...

Buenas noches.

II

[SUS CINCO CUALIDADES]

¿Saben ustedes quién era Goethe? Claro que muchos de ustedes lo saben, lo saben perfectamente, como yo, mejor que yo. Ni por un momento lo he dudado. Pero tengan esos que lo saben —que saben mucho, que, tal vez, saben demasiado—, tengan compasión de esta voz mía que ahora envío de nuevo a los espacios, y que es en este instante mi único haber, mi único utensilio, mi única arma, mi único escudo.

Esta voz es una sola y ni puede disociarse en varias voces que digan cosas distintas para las distintas clases y castas de personas que me escuchan, llevando a cada cual lo que le corresponde. Bien quisiera ser mi voz como ese cohete festival que asciende fogoso y dorado en la noche bruna y al llegar a una cierta altitud se disgrega en innumerables culebrinas que se dispersan por el firmamento y parecen llevar presurosas su fuego, cada cual a su estrella particular, a la hermana estrella con quien tiene cita. Mi voz es menos afortunada: está condenada a ser una sola, como yo soy, solo Yo —por eso lleva a ustedes los fervores de mi soledad—: mi voz asciende unitaria y no puede la pobre convertirse, cuando quisiera, en una voz federal que repartiese su decir a medida del escuchar. Yo hablo para el que sabe quién es Goethe, pero también y principalmente para el que no lo sabe y aún va con franca predilección *a ese* que me conmueve más que todos, *a ese* que no sabe si lo sabe.

Pues bien: Goethe era un poeta alemán que poetizó a fines del siglo XVIII y comienzos del XIX. ¡Qué ridículo es el lenguaje, amigos, qué ridículo! Con una y misma palabra denominamos las realidades más dispares: con la sola palabra poeta calificamos a Goethe y al intelectualete de suburbio o de barrio, a la sabandija literaria que, una vez, por error, hizo un soneto. En vista de ello, y para guardar las distancias, diré a ustedes que Goethe no fue un poeta, como es poeta un individuo cualquiera, sino que fue algo así como si un continente entero fuese poeta, como si los Andes, un buen día, se pusiesen a hacer versos; imagen tal vez profética, porque es posible, es probable, es casi seguro —no lo veremos nosotros, ni acaso nuestros hijos, quizá nuestros nietos—, es casi seguro que un buen día nacerá aquí un hombre de alma titánica —los titanes son los hijos de las montañas—, un hombre de alma titánica que hará versos soberanos y será propiamente el Ande que versifica.

¡Eh, eh! ¡Mi voz! ¿Por dónde has ido? ¿Qué divagaciones son éstas? ¿A qué tanto preámbulo y preludio para decir lo que ibas a decir, una cosa tan sencilla y hasta perogrullesca? ¡Eh! ¡Cerrera, cerrera!, como los pastores dicen en mi áspera tierra a la cabrilla arriscada que se descarría por las alturas...

En efecto, yo quería recordar simplemente que fue Goethe el primero en decir que la palabra impresa es un mero sustitutivo de la palabra hablada. La cosa es incuestionable. La palabra impresa se deja fuera de ella casi todo el hombre que la escribió y la hizo imprimir. Por eso dice mucho menos que la palabra hablada. Esta tiene un timbre y el timbre de la voz con sus modulaciones es delator del hombre. Si supiésemos escuchar advertiríamos que arrastra consigo los secretos de éste, como el Paraná rasca, en su líquida carrera, las arcanas orillas del lecho tropical donde comienza y nos trae tierra lejana, extraña tierra purpúrea, a la rada porteña. Por eso yo, que desde mi ventana contemplo el estuario del Plata, cuando veo que un día, al atardecer, se le pone el agua dramática y sanguinolenta, ya sé lo que pasa: que ha habido no se sabe qué guerras cruentas allá en el Paraguay.

Goethe tenía razón, pero no toda. La palabra hablada, a su vez, es sólo un fragmento del auténtico hablar. No se dice todo lo que el hombre quiere decir. Se aclara en un instante mi idea si les refiero que el más genial etnógrafo contemporáneo, mi grande amigo León Frobenius, que una y otra vez ha visitado toda el Africa, sorprendido al observar que los indígenas no entienden nunca bien al europeo aunque éste maneje perfectamente la lengua de ellos, cayó en la cuenta de por qué esto pasaba. Y es que el europeo apenas si gesticula, y para el negro hablar, decir, no es sólo pronunciar, mover lengua y labios, sino que es poner a contribución todo su cuerpo: manos, brazos, piernas, pupilas de azabache, blanco de los ojos. La palabra hablada es para ellos sólo una porción del hablar: es sólo, por decirlo así, el texto; mas como los niños necesitan para entender que el texto lleve ilustraciones, ellos necesitan la mímica y la pantomima de toda su corporeidad. Por eso, al lado del absoluto hablar del negro, nuestro pobre hablar europeo, tan parco en ademanes, es casi silenciar. Cuando el sacerdote negro del Harlem neoyorquino predica el sermón del Domingo de Ramos y cuenta que Jesús entró en Jerusalén caballero en un asno, el buen cura de chocolate se monta en el púlpito para que no haya duda. Si no recuerdo mal, Victoria Ocampo ha descrito muy bien esa escena. Piensen ustedes en el polo opuesto al negro, en la faz impasible del inglés, que puesto detrás de su pipa emite inmóvil los leves maullidos displicentes en que su habla consiste. Por eso es tan difícil entender a un inglés.

Va todo esto a sugerir que en mi afán de decir a ustedes mucho, de decirles todo, de decir totalitariamente, yo no sé cómo arreglármelas delante del micrófono para ser el negro de mi voz.

Porque hoy se trata de un asunto en que es muy difícil entenderse, de un asunto complejo, sutil, tejido todo de matices como el cuello de la paloma. Sería inútil cuanto diga si no nos ponemos de acuerdo, con toda precisión, sobre qué es lo que nos proponemos. Y hablo en plural, porque no es cuestión de mi capricho personal proponerme esta finalidad u otra. Dado el asunto, queda automáticamente prescrito lo que hay que hacer. El capricho aquí, como siempre, es la gran estupidez, es ignorar que las cosas tienen, queramos o no, una estructura real, que no hay, por lo pronto, sino reconocer. Por hacer lo contrario el hombre occidental desde hace dos siglos, por creer que las cosas no tienen su anatomía propia, sino que son materia blanda y dócil, sumisa a nuestra petulante voluntad, se está el mundo retorciendo en congojas. Pero esto es un tema gravísimo y enorme del que si les interesa a ustedes hablaríamos algún día. Se trataría de diagnosticar en su más profundo estrato la verdadera enfermedad de Occidente y mostrar su origen desde el siglo XVII. Porque los grandes cuerpos históricos como Oriente, como Occidente, no se ponen malos de repente. Es un error creer que en la Historia hay terremotos. No hay historiomotos. Como he dicho en «Amigos del Arte», la Historia es lenta, tardígrada. Recuerden ustedes los magníficos versos de Ercilla en *La Araucana:*

> Como el celoso toro madrigado
> que la tarda vacada va siguiendo...

Pues bien esa *tarda* vacada es la Historia.

Nada de capricho, por tanto, en este tema tan casi sacro que es la criolla. Hagamos no lo que nos gusta, sino lo que hay que hacer. Digamos no cualquiera cosa, sino lo que hay que decir.

Cuando intentamos definir la criolla —¡qué melancolía, señores!, ¡la definición es la caricia del filósofo!—, cuando intentamos definir la criolla, ¿qué es lo que tenemos que hacer? No es, evidentemente, describir a una criolla singular que en el año de gracia de mil novecientos y tantos penetró en nuestra existencia como un fulgurante meteorito. Eso no le importa a nadie más que a nosotros. No se trata, pues, de una criolla determinada y singular, de una criolla concreta y real, que está ahora en un sitio preciso y que acaso, con un encanto indiscutible, hace en este momento a mi voz vagabunda, a mi voz sin pupilas, a mi voz sin yemas de los dedos, un mohín desdeñoso.

Tampoco se trata de lo contrario; a saber: de una especie de ideal criolla, de criolla inexistente, si por ideal se entiende un fantasma que se saca uno de la cabeza. Yo no soy —ya lo he hecho constar varias veces—

idealista. Idealismo es precisamente el nombre de esa enfermedad terrible que ha padecido Occidente, acerca de la cual hablaremos acaso un día.

Esta criolla que, como terminé diciendo el otro día, es lo que la filosofía fue para Aristóteles, ἡ ζητουμήνη —la que se busca—, no es una mujer inventada, poética. El mundo de los objetos poéticos es lo otro que el mundo de las cosas reales. Ser poeta es desrealizar, es negarse a lo real. Por eso la creación poética puede constituir una simple negación de lo que está ahí ya. Alguien ha hecho notar que el poeta francés Mallarmé obtiene sus objetos poéticos por este método negativo. ¿Cuál será para él la hora bella, la hora poética? Muy sencillo: la hora ausente del cuadrante. ¿Cuál será la mujer en el sentido poético de la palabra? Pues no hay duda: *la femme aucune,* la mujer ninguna.

Todo esto está muy bien, pero no es lo que nos interesa. La criolla que buscamos no es una criolla determinada que ha intervenido en nuestra biografía, ni la criolla irreal que habita en el verso, en la quinta dimensión maravillosa que es el verso, esa dimensión benéfica que nos permite en una hora desesperada salvarnos de las otras y a la cual se pasa como a otra habitación, a la habitación absolutamente otra.

La criolla que buscamos es real —¡menuda petulancia sería creer que uno la ha inventado, cuando es una de las grandes averiguaciones y experiencias y aprendizajes que humildemente ha hecho uno!—, se trata, pues, de una criolla real, pero no ésta o aquélla, sino la criolla típica. La palabra «típico, típica» se ha desviado en nuestro idioma e importa mucho corregir su uso, que es un abuso. «Típico» se suele entender como lo curioso, pintoresco o característico de algo. «¡Es muy típico!», se dice de una costumbre rara en un país. Pues bien: el sentido verdadero y utilísimo de esta palabra no es ése: entiéndase por «típico» simplemente lo que es propio de un «tipo», y tipo significa un modo real, pero general, de ser. La criolla que buscamos es el tipo esencial de la criolla; sus cualidades efectivas, las que nosotros no hubiéramos nunca podido imaginar, sino que, al revés, no sospechábamos y nos han sorprendido como deliciosos salteadores en un recodo de la existencia. ¿Está claro lo que nos proponemos? Era inexcusable decir esto, aunque es un poco pedante, un poco curso académico. Decirlo con todo rigor es un sacrificio que reclamaba de nosotros la pulcritud y la dignidad de este asunto.

Goethe, que además de ser un ingente poeta fue un gran investigador, que descubrió uno de los principios fundamentales de la osteología o anatomía de los huesos y uno de los principios más fértiles en botánica, halló el tipo o prototipo de la planta, el cual dibujó en un papel y dijo: «Esta figura es la ley de todas las plantas; es lo que, en esencial y última realidad, son todas las plantas, cualesquiera sean sus diferencias infinitas.» Pero todas las plantas concretas *son sólo excepciones de esa ley;* esto es, son siempre un poco otra cosa que el prototipo. Me alegro que esta conferencia proceda bajo el signo de Goethe, un gran intelectual que creyó siempre en la mujer, que para existir, él, que era un gran varón, necesitaba respirar mujer.

Me parece que ahora nuestro propósito está claro. La criolla que buscamos es el prototipo real de todas las mujeres que aspiren a ser criollas, que pretendan, aunque sea de lejos y con enternecedora humildad, merecer ese rango y ese título de *la* criolla, que viene a ser algo así —y nada menos— que ser mariscal de campo de la feminidad. Y de toda criollita, de la ciudad o del campo, de la estanciera elegante o de la muchacha obrera —¡qué delicia, que ventura!, ¡la muchacha obrera, la obrera criolla! Si yo fuese joven, si yo fuese muchacho, si yo fuese estudiante, si yo fuese obrero, ¡cómo iba a danzar la danza ritual delante de ella, la danza apasionada y divinamente histérica de David delante del Arca! Pero ¡qué le voy a hacer! ¡Si soy todo lo contrario, obrera de ojos hondos, de ojos negros, negros! —como una cita en la sombra—, ¡qué le voy a hacer! ¡Si en vez de joven soy muy maduro, si en vez de estudiante soy profesor, si en vez de ser obrero manual soy atorrante intelectual! ¡Me quedo sin danzarte mi danza, con lo cual sales tú ganando y perdiendo yo todo!

Iba diciendo que si ser la criolla es como ser mariscal de campo de la feminidad, de cualquier criollita puede decirse lo que Napoleón decía a sus ejércitos: que todo soldado llevaba en la mochila el bastón de mariscal de campo. Pero añado honradamente que la cosa no es fácil. ¡No es *la* criolla, así como así, quien quiera!

Toda realidad tiene, como he indicado, estructura propia; tiene su arquitectura, un orden y disposición de sus elementos. Cada uno de éstos se halla en su puesto. Las calidades de la criolla forman una arquitectura viviente y hay un atributo, el primer atributo de la criolla, que es base de todos los demás, del cual brotan los restantes; tan brotan, que ese atributo es ya por sí un surtidor, un hontanar o fuente pulsante de energía y dinamismo.

Lo primero que la criolla es, amigos, es... vehemencia. Sin esto no habría nada de todo lo demás. La palabra «vehemencia» es magnífica. ¡No, si el lenguaje que antes he llamado ridículo tiene cosas estupendas! ¡Así es todo y así somos todos en la vida: un poco ridículos y un poco genios, un poco bestias y, a la vez, cachorros de arcángel!

La palabra «vehemencia» significa en su origen soplo vivaz, viento. El viento ha sido siempre para el hombre símbolo de lo dinámico y enérgico, porque entre las cosas perceptibles en vista de las cuales forjó en tiempos remotísimos su lenguaje, es el viento la que con menos materia manifiesta más pura fuerza. Por eso todas las palabras que expresan el ser moral del hombre provienen de raíces que significan aire —alma, ánima es viento, y espíritu es soplo.

La criolla es vehemente porque vive en constante y

omnímodo lujo vital —*es, existe* con sobra de existir—; no está ante nada escasa de reacción, como la mujer del norte de Europa, que es un poco inerte. Por esto digo que vive en constante lujo vital, no importe que sea rica o que sea pobre. Yo he conocido a una criolla, de una belleza patética, descendiente de la más vieja aristocracia americana, que estaba en la más completa miseria. Y, sin embargo, parecía una emperatriz —de la vida—, porque era vehemente, dulcemente vehemente; era una gran brisa humana y todo ante ella se ponía en superlativo. Era un aire feliz que sopla inexhausto, y a su lado sentía uno lo que debía de sentir la fragata cuando un viento favorable y enérgico henchía sus velas y las tornaba combas con curva de seno y hacía ondear todos sus banderines y gallardetes.

Esta vehemencia de la criolla procede acaso de la que poesía la española —como en otra medida la francesa y la portuguesa— en los siglos XVI y XVII. He dicho «acaso» porque no estoy del todo cierto, pues aun cuando hablo apasionadamente, soy dueño de mí y estoy hablando con pleno rigor de concepto bajo todas mis exaltaciones. Como no se ha hecho la historia de la mujer —según deploré el otro día—, se ignora todo esto. La española fue perdiendo aquella vehemencia, pero su heredera, la criolla, la conservó y la depuró. Porque la vehemencia de la española era un poco bronca y áspera, y la vehemencia de la criolla es, aunque muy enérgica, de piel suave y sabor dulce. Consiste en un inmenso afán de vida que hay en ella. Por eso mana hacia lo que ve, constantemente, con ese temblor emocionante y emocionado del agua en el manantial. Es vehemente porque está siempre yendo a las cosas y personas, en vía tensa hacia ellas. No defrauda nunca, responde siempre —no porque sea fácil. Ya veremos que no lo es: no es la mujer fácil en el sentido vil en que los hombres emplean esta expresión. Es todo lo contrario: es exigente, dice a muchas cosas y a muchos seres que «no», pero lo dice con vehemencia, interesándose en ellos. Decir «no», apartar, despedir, puede ser una de las maneras de estar yendo a las cosas, de sentirlas, de probarlas. No hay duda, aun el rechazar puede ser la sombra de una caricia.

Yo no puedo ahora explicar a ustedes todas las causas que produjeron esta sin par vehemencia. Sería menester entrar en el estudio de las condiciones en que se produce eso que llamo «pueblo joven». Como toda mi actuación aquí, con la apariencia de ser fortuita y desperdigada, es de un terrible sistematismo, mucho de lo que dije el lunes en La Plata* sugeriría a ustedes la explicación que ahora, por falta de tiempo, tengo que callar. Yo no estoy muy seguro de que lo que yo digo tenga gran importancia, pero sí indicaré que si a alguien le interesa lo que digo, ha tenido y tiene que oírme entero. ¡Porque se trata de toda una canción!

La vehemencia sostiene y mantiene en el aire, puesto que es un soplo vehemente, todas las demás cualidades de la criolla. Sin ella, el resto perdería su peculiar virtud y estilo.

La segunda de esas cualidades es la espontaneidad. ¡Dios ponga tiento en mi voz! Porque la cosa es muy difícil de decir en pocas palabras. ¡Vamos a ver! Con una ojeada, pasen ustedes revista de todas las cosas que hacen durante el día, desde que se despiertan hasta que reingresan en esa buena ausencia que es el sueño. Entiendan la palabra hacer en su sentido más amplio: por tanto, todos los movimientos de su cuerpo y todo lo que hace su alma, todos sus decires y todos sus pensamientos. Notarán que la inmensa porción de todo eso no lo hacen ustedes por inspiración o invención propia, sino porque han aprendido a hacerlo de su contorno social. Por ejemplo, la mayor parte de nuestras ideas no se nos han ocurrido a nosotros, sino que las hemos oído decir o las hemos leído. Muchas, muchas

---

* [Véase *Meditación del pueblo joven,* en esta Colección.]

de estas ideas recibidas que usamos, ni siquiera las repensamos por nuestra cuenta, sino que las usamos mecánicamente, como autómatas. Esto es normal, pero reconocerán que en cada individuo hay una proporción diferente entre el número de cosas que hace porque las ha visto hacer o las ha oído decir y las que provienen de su propia iniciativa, las que son invención suya. Y tendremos dos casos extremos: el que en su hacer, en su conducta corporal o espiritual, no inventa apenas nada, sino que se adapta a las pautas dominantes en la sociedad o grupo social donde vive, y aquel en quien, por el contrario, predomina la invención propia. El primero es un hombre o una mujer convencionales, sin personalidad, sin intimidad. Es una marioneta movida por los hilos mecánicos de la sociedad. El segundo es el hombre o la mujer que viven de lo que en su intimidad nace y brota. Esto es la espontaneidad.

La criolla es, a mi juicio, el grado máximo de espontaneidad femenina. Pero así como cualquiera mujer puede hacerse ilusiones de que es vehemente, aunque no lo sea en verdad, este segundo atributo de la criolla muestra ya lo difícil que es ser *la* criolla. Para ser *la* criolla hace falta, lisa y llanamente, ser un genio, un genio de lo femenino. Dante decía de Beatriz que era *del donnesco la cima,* la cima de lo femenino; pues eso es la criolla. Una criatura que es la espontaneidad misma, que lo es siempre, en toda ocasión y situación. Siempre hará, pensará, dirá lo que no es convencional, lo que no es aprendido, sino lo que asciende del fondo de su ser, y por eso al verlo, al oírlo, nos trae siempre efluvios de ese fondo abisal —como las caracolas de abismo que con su extraño rumor interior nos cuentan siempre la historia patética de lo que pasa en el fondo del mar. La criolla es la permanente autenticidad. Es, pues, de un lado lo contrario de la criatura convencional y amanerada, que hace siempre, que dice siempre lo que no viene de su propio fondo, sino que fue aprendido de fuera. Pero es también algo opuesto a lo que se llama una «mujer original», que ha dado un brinco de acróbata, de saltimbanqui, fuera de las convenciones sociales y en extravagantes altitudes, en complicadas lejanías, hace sus volatines y sus descoyuntamientos, que nos interesan, a lo sumo, como un número de circo. La criolla no se evade de los usos sociales, no es una original. No necesita extravagar, sino que, instalada dentro de la más normal normalidad, es desde ella siempre un poco otra cosa que lo normal, que lo convencional. La original nos asusta, nos espanta y nos enfría. Pero a la criolla la hallamos asentada tranquilamente en la cotidianeidad y nos acercamos a ella sin precauciones y..., y ¡estamos perdidos, perdidos sin remedio!

Porque, en ese marco de aparente y aceptada cotidianeidad, surge imprevista la más pura originalidad. Cada palabra, cada gesto es un poco otra cosa que lo usado, es una creación constante, porque en la medida que se es auténtico se es creador. La vida, cuando es ella lo que es —y a esto llamamos autenticidad—, es un incomparable poeta y un sabio sin par, porque no puede menos de estar inventando, creando mientras está siendo. Ya hablaremos más de esto el próximo día, ya veremos en qué medida la forma de existencia que ha llegado a tener Buenos Aires propende a destruir a la criolla, a quitarle espontaneidad, a hacerla convencional, *a no dejarla ser*.

Consecuencia de lo dicho es que de la criolla no nos podamos defender. Reconozcámoslo gallardamente: confesemos, sin humillación, nuestra derrota anticipada. Porque estamos preparados para resistir a lo sabido y consabido. La mujer vulgar, con su vulgar comportamiento, con su repertorio de discos, es fácil de evitar. Nos da tiempo para oponer al disco el contradisco. Pero ¿qué haremos ante la criolla si no nos da tiempo para colocarnos a la defensiva, porque su primer gesto es ya otra cosa que lo consabido, si es el divino imprevisto? Nuestro amigo Dante, el inmenso Dante, lo sabía —en Dante hay una curiosa anticipación gótica de la criolla.

Por eso nos dice:

Che saetta prevista vien più lenta.

(la flecha que se ve venir viene más despacio). Pero la flecha de la criolla que en los primeros siglos se educó entre la indiada es la flecha prematura del indio y no nos deja respiro. Entra usted tan tranquilo, tan como cualquier día, en una casa donde no ha estado nunca y ve usted que del fondo del vasto salón avanza con un caminar elástico y de vago ritmo, que no es sino andar, y es, sin embargo, ya una danza en germen, un ser —no—, unos ojos oscuros y densos, donde bailan imaginaciones, una blusa de organdí blanca, una pollera de campana y bufante... Es *la* criolla; es la criolla, porque la primera palabra va a ser ya otra palabra que la esperada por usted y el modo de inclinar la cabeza no lo había usted visto nunca y la calidad de la voz es ya para usted y de pronto la imprevista llegada a un país cuya existencia desconocía y..., y no sabe usted qué hacer. ¿Cómo va usted a saber qué hacer, si no había estado nunca en ese nuevo mundo, donde, súbitamente, y sin saber cómo, se encuentra usted ingresado? ¡Créame, amigo! ¡Está usted perdido! ¡No hay nada que hacer!

Se dirá que todo esto es exageración, y claro está que lo es un poco. Pero ¿no hemos venido a este mundo precisamente a eso, a exagerar un poco? Por mis libros anda una teoría muy seria y muy fundamental que demuestra cómo hablar, el simple hablar, el decir la frase más sencilla, es ya exagerar. Pero sostengo que hay en todo lo dicho mucha menos exageración de lo que parece. Yo he tomado mis precauciones para evitar lo exorbitante, y el que me acuse de exagerar probablemente no las ha tomado; por ejemplo, no se ha precisado bien cuál es el tipo de mujer en los otros países. No hay ahora tiempo de definir, además de la criolla, la francesa, la italiana, la inglesa, la alemana, la eslava, la norteamericana. Pero si ustedes se empeñan, yo estoy dispuesto al combate sin el menor susto. Sé que estoy en lo firme. ¡Sobre que sería ridículo que extrañase esta apoteosis de la criolla! ¡Cualquiera diría que la realidad humana a que cuanto he dicho alude fuese una novedad! Lo nuevo será mi insensatez de formularlo, de consagrarlo con la palabra. Pero todo europeo medianamente alerta lo sabe desde hace por lo menos siglo y medio. En un salón del viejo continente decid a ese europeo que se espera a una criolla, que ya va a llegar la criolla, y en ese instante, mirad bien sus ojos y veréis qué ardor insólito aflora a ellos de su secreta intimidad, qué vaga y qué lejana y qué ultramundana se hace su mirada y cómo su mano pasa inquieta por su mejilla, con inquietud de doble filo en la doble espera del peligro y la delicia. Si tuviésemos una lupa psicológica, podríamos percibir y dibujar luego el preciso perfil de promesas que para ese hombre significa el anuncio de una presencia criolla, y estoy seguro que ese perfil sería en hueco lo que es en cóncavo mi definición de la criolla que estamos comenzando.

El día próximo pondré algunos puntos sobre algunas íes, pero ahora añadamos algo más.

La vehemencia lanzando a la espontaneidad, la espontaneidad dando materia a la vehemencia, producen, sin pretenderlo, la tercera cualidad de la criolla, que es la gracia. Esta gracia no es el chiste ni es tampoco, por fortuna, el *esprit*. La criolla no es ni chistosa ni espiritual, con lo cual —¿ven ustedes?— alejamos nuestro entusiasmo de varios tipos ilustres de mujer. El *esprit* es el alfiler intelectual, el alfiler y el alfilerazo. Nada más. No nos interesa. La gracia de la criolla es lo grácil de todo su ser, de sus ademanes, posturas, expresiones, fervores, travesuras. Pues la admirable elasticidad que le otorga su energía vital le da un gran sentido para crear sobre la vida inevitable el juego de la vida. Es traviesa, inventora de proyectos, de estratagemas, de halagos, de burlas.

Es siempre expuesto decir de un libro que es uno el único que lo ha leído. No obstante, yo me atrevo a decir que hay un cierto libro cuyo único lector viviente soy yo. Porque es un libro insignificante de viaje al Perú hacia 1860, perdido en una anticuada y enorme colección de viajes. No doy el título porque he regalado la idea de publicarlo a un editor de aquí*.

Un farmacéutico francés fue comisionado por su país para hacer ciertos estudios botánicos en las regiones limítrofes entre el Perú y Bolivia. Se instaló en el Cuzco, de la cual ciudad narra algunas escenas divertidas. De allí parte, en penosa exploración, hacia la frontera de Bolivia, por tierras que se hallan a tres mil y más metros de altura, que eran en aquellos tiempos vastísimas y silentes soledades habitadas por escasos indios y algunas estancias a enorme distancia entre sí. Un día arribó de mañana a una de estas estancias de que era dueño un buen cincuentón, hombre de excelente fondo, pero un tanto presumido. Quiso el azar que aquel día se celebrase la fiesta de su cumpleaños. Había recibido vagos anuncios traídos por indios de que alguien iba a llegar para festejar la fecha y él había preparado mesa y bebidas.

Y, en efecto, sin que se sepa cómo, ni por dónde, el estanciero cincuentón y el farmacéutico francés se encuentran con que en el salón han surgido dos damas, dos criollas de las estancias vecinas, si es que en aquellas solitarias y enormes lejanías se puede hablar de vecindad. Y apenas llegan, con su peinado de rodetes, con sus chales ingrávidos, con sus polleras redondas que la moda hacía aún cortas, comienzan y no paran a tocar guitarras y mandolinas, a danzar, a endechar canciones ardorosas y nostálgicas, a embromar al cincuentón, a reír,

---

* [*Viaje por los valles de la quina,* de Paul Marcoy. Publicado posteriormente en la Colección Austral, con un prólogo de Ortega, en el que se acogieron algunos párrafos de esta «Meditación de la criolla».]

a sonreír, a llenar el espacio con los jilgueros de sus voces, a hacer beber a los dos hombres, y cuando el cincuentón, a prima noche, no mal bebido, cree estar cerca de las grandes victorias, sin que se sepa cómo ni por dónde las dos criollas se volatilizan, desaparecen; con el último brinco de su última danza han puesto el pie en la ausencia, se han convertido para siempre en recuerdo alucinado.

Estas dos criollas que florecen imprevistas en un rincón perdido de la mayor soledad representan para mí, claro está, no más que el nivel mínimo de la criolla. Pero en ellas germinalmente está ya prefigurada la cima de este tipo de mujer, irreal de puro real, a la vez cotidiana e inverosímil.

Pero el próximo día tenemos que seguir hablando de la *gracia* y escrutar su causa. Luego avanzaremos hacia otra cualidad de la criolla que ya transparece en esas dos criaturas descubiertas por mí en una aventura de biblioteca —¡qué ironía, amigas mías!—, la cualidad de la molicie. La criolla es muelle y a su lado toda otra mujer parece un poco dura e inelástica.

A la postre no tendremos más remedio que afrontar la última gran cualidad de la criolla. ¡Buena nos espera! Porque siendo ella el genio de la feminidad, por fuerza ha de poseer en grado máximo un talento especial, que sólo tiene la mujer, *el talento que le hace entender de hombres*. ¡Excuso decirles la que nos espera!, cuando de esto hablemos, a ustedes los hombres que me escuchan y a mí, el gran insensato que se ha metido en estas aventuras, las cuales no tienen ni siquiera la compensación de ser, en efecto, aventuras.

III

[LA ÑATA Y SU DOBLE PERFIL]

Anuncié el otro día que hoy pondríamos algunos puntos sobre algunas íes. Noten ustedes lo que pasa siempre que se habla o se escribe. Primero, dice uno algo. En seguida cae en la cuenta de que eso que ha dicho no es propiamente lo que pensaba. No porque crea uno haber traicionado su pensamiento, sino porque eso que ha dicho es siempre sólo una fracción mínima de lo que pensaba, y si el que nos escucha cree que al decir eso poco lo hemos dicho todo, es evidente, que, sin quererlo, hemos falsificado nuestra idea. Valía más callarse. Acaso, en vez de hablar de la criolla, yo he debido callarme acerca de ella y perpetuar el culto silencioso que desde hace un cuarto de siglo le dedico. Pues ¿habrá quien crea que he dicho lo que pienso sobre la criolla porque haya hablado dos ratos, y con el de hoy tres, en torno a ella? ¡Vamos, hombre! ¿Sobre qué cosa del mundo, así sea la más simple, se puede decir en ese tiempo lo que se piensa? La imposibilidad de ello les será patente con claridad meridiana el día que yo realice un propósito que tengo, si bien no le he marcado fecha: el propósito que tengo, de hablar una vez a fondo, en Buenos Aires, sobre el hablar, sobre el lenguaje. ¡Es un tema magnífico, señores! Ya verán ustedes, acuérdense del pronóstico, cómo apenas Europa se serene —cosa que va a acontecer mucho antes de lo que se sospecha—, el lenguaje, ese instrumento y facultad peculiares al hombre, será uno de los temas preferentes de la preocupación occidental. Porque no es posible ya, en estas altitudes a que hemos llegado en el proceso de la aculturación o civilización, seguir usando del habla a la buena de Dios. Urge ya una higiene y una técnica del hablar en su doble operación de decir y de oír. Hay que aprender a hablar y hay que aprender a escuchar. Y lo primero y más fundamental que convendría hacer es advertir hasta qué punto hablar es una faena ilusoria y utópica, que no se logra nunca suficientemente; esto es, que lo que ingenuamente nos proponemos cuando hablamos, a saber: comunicar a los prójimos nuestros pensamientos, no lo conseguiremos nunca por completo. Es el sino inevitable de todo lo verdaderamente humano que el hombre hace, mejor dicho, que el hombre intenta hacer. Porque todo lo propiamente humano que el hombre se propone es, por esencia, imposible. El animal suele lograr lo que pretende porque sólo pretende cosas naturales. El hombre, en cambio, ¿qué se propone? Pues se propone, por ejemplo, ser sabio o ser justo. ¡Menudas fantasías! ¿Cómo va a lograr plenamente esos proyectos extranaturales? ¡Gracias con que consiga realizarlos en una mínima parte! Mas como él aspiraba a realizarlos por entero, a ser íntegramente sabio, a ser por completo justo, es inevitable el fracaso.

Tal es el honroso privilegio del hombre. Ser hombre de verdad es, de verdad, fracasar. Yo sabía —claro está— de antemano que en el desarrollo de este tema iba a fracasar; pero, al mismo tiempo, me parecía el mayor homenaje que podía rendir a la criolla —fracasar ante ella—; después de haber sido ante ella una llama, ser —también— una ceniza. Lo cual no significa que, desde luego, me entregue inerte a la derrota. Nada de eso: se trata de luchar como si fuésemos a triunfar, con la misma alegría de batalla, con el mismo fervor beligerante y el mismo jovial trompeteo e hiriendo el espacio con alaridos de clarín, como si la victoria fuese cierta. Este humor pugnaz, dispuesto a la pelea, es la contrapartida inevitable de que, como dije el otro día en La Plata, yo vengo aquí, no a ganar dinero, que nunca he ganado, sino, por lo pronto, a traer, poco o mucho, lo que tengo y a llevarme de paso lo que hay aquí, a saber: juventud. ¡Qué le vamos a hacer si es así, si, como allá dije, esto me refresca, me renueva, me hace retoñar, me instaura en vida nueva! Lo malo es que con esta fraudulenta juventud me vuelve el temple polémico que henchía mi efectiva mocedad.

De aquí que me sienta indignado, furibundo, por haber oído, después de mis dos arias sobre la criolla, a más de un porteño que me decía: «Bueno, pero usted no habla más que de las virtudes de la criolla; ¿por qué no hace usted constar sus defectos?» Oír tal cosa, confieso que me pone fuera de mí y es muy Buenos Aires, 1939.

Hablaba hace pocos días con una señora de aquí muy inteligente. Hablábamos de Martínez, un hombre difícil, difícil si los hay. Después de largas consideraciones que sobre el personaje hicimos, esta señora irguió su torso, dándole la tensión del arco cuando va a disparar la flecha mortal, y exclamó: «¡Para resumir, digamos: Martínez o la objeción!» La expresión era exacta, pero yo entreveo que, en general, y con todas las salvedades que tan compleja realidad impone, podría ampliarse su sentido a casi todo el Buenos Aires que en este mi tercer viaje he encontrado. Confieso a ustedes que estoy abrumado, desazonado al no oír desde que he llegado aquí casi más que objeciones. ¡A todo hay algo que decir, a todo hay algo que objetar! Y no se dice lo que hay de bueno y hay una morbosa complacencia en recoger lo defectuoso y lo desgraciado con toda pulcritud, como si se tratase de pepitas de oro. En el Buenos Aires de hoy casi no se dice, más bien se contradice, hasta el punto que si un geógrafo medianamente perspicaz pasase por aquí hoy, con ánimo de componer una nueva geografía escribiría en su cuaderno de notas lo siguiente: «Buenos Aires es una ciudad de casi tres millones de habitantes y trescientos millones de objeciones.»

No me refiero a las que a mí se dirigen; ésas son naturales. Soy un extranjero, soy un transeúnte, y ya que beneficio de los privilegios que se otorgan al forastero, justo es que, estando a las maduras, esté también a las duras. El viajero pasa tan raudo por el paisaje que se convierte fácilmente en pieza de caza mayor, e invita a que se dispare sobre él, para ver si se le da. No, lo que me apena, lo que me irrita es ver cómo, aquí y ahora, es tan frecuente que el porteño sea una viviente objeción a los demás, a buena parte de los demás porteños. Cada cual parece ocupado, más que en vivir él, en detener, trabar y frenar la vida de los demás.

Como bajo esta enfermedad transitoria Buenos Aires sigue siendo lo que era y lo que será, acontece que ve uno, acá o allá, emerger el buen gesto de vehemencia, de espontaneidad y de gracia, pero notamos que en seguida ese gesto se detiene y queda congelado, no sigue, no concluye, es antes de cumplirse ruina de sí mismo, como del arco roto queda sólo el segmento inicial, a modo de muñón que subraya la ausencia del resto.

Yo comprendo que contentarse con hacer objeciones es una forma de la humildad, ya que la objeción no puede aspirar a tener vida propia. La objeción es un parásito de aquello contra quien va y necesita de ello para subsistir. Yo preferiría, sin embargo, ver que todo porteño siente orgullo de ser y no se contenta con anti-ser. La gratitud me imponía la obligación enojosa de decir eso, ya que yo soy ahora la voz que clama en... Buenos Aires.

Si es notorio, no sólo aquí y en España, sino en todo el viejo continente, pues el hecho ha circulado por todo él en virtud de ciertos motivos que aquí se ignoran, porque aquí se está mucho peor informado de lo que se supone; si es notorio, digo, mi fervor por este país, se sabe también que no le he halagado nunca. Por tanto, si yo no hablo de los defectos de la criolla no es porque premedite adularla, sino por la sencilla razón de que la criolla no tiene defectos. Los defectos los tienen, tal vez, las criollas, pero ya dije que éstas no son mi asunto.

La criolla —repito una vez más— no es una mujer en singular, ni muchas mujeres singulares, sino un tipo de feminidad ejemplar, que en estos países centro y sudamericanos se ha ido poco a poco, desde ha cuatro siglos, formando, componiendo, integrando, evolucionando y —¡quién sabe si desde hace unos años!— desintegrando y desvaneciendo. El que ese tipo sea ejemplar, por tanto, de gran perfección, no quiere decir que sea ideal. Las cualidades de la criolla que he descrito, y las que aún hoy describiré, no las he inventado yo ni ningún otro imaginador, sino que todos las hemos descubierto, hallado, ahí, en la gran sorpresa que es siempre la realidad. Más aún: mientras en la formación de otros tipos de mujer, por ejemplo, de la francesa, de la inglesa, ha intervenido mucho más la idea previa e irreal aún que el hombre tenía de una mujer posible, y el arte y la poesía anticiparon ciertos de sus rasgos, que luego la francesa y la inglesa procuraron realizar en sus exquisitas personas, la criolla ha nacido y se ha desarrollado como la avena loca de estos campos, por propia iniciativa y exenta de cultivo. No digo que el hombre no haya contribuido nada a su formación, pero me parece incuestionable que ha colaborado en su figura menos que en otro tipo de mujer. Mas como sé distinguir muy bien entre lo que veo con evidencia y lo que no veo claramente, confieso que no podría hoy precisar cuál es esa porción, aunque sea mínima, de influjo masculino en el perfil moral de la criolla. Conste así.

Conozco mis limitaciones —es casi lo único que conozco bien. Sé poco, sé poco de la criolla, que es una ciencia muy honda y muy sutil; pero, en definitiva, mi propósito no es otro que sacudir en las cabezas este tema esencial, en una hora en que los pueblos hispanoamericanos tienen que decidir los nuevos gálibos de su vida y de sus rutas hacia el porvenir. ¿O creían ustedes que se trataba sólo de un madrigal mío, de algo así como un tango rasgueado en una guitarra filosófica? Claro está que es también eso —sí, es un madrigal, ¡no faltaba más!—; pero es a la vez, e inseparadamente, lo más distante de eso, es a la par lo más serio y lo más grave y lo más dramático y lo más rigurosamente teórico que pueda haber en el mundo —digamos que es un tango, trascendental. En la medida de lo posible, sobre todo en nuestros pueblos, hay que esforzarse en ser un hombre entero, con su mediodía, con su medianoche, con su abstracción y con su frenesí. Y, sobre todo, aunque fuera indebido ser de esta manera, la cosa no tendría remedio —yo he sido siempre, soy y seré así, sin posible arreglo ni imaginable compostura—; de modo que una de dos, o me toman ustedes como soy o me envían ustedes deportado a las Malvinas. Dondequiera que vaya, estoy seguro de existir. En las costas mediterráneas de nuestro Levante, allá por Cartagena, hay unos moluscos muy sabrosos que se obtienen rompiendo con un martillo las rocas de la costa, porque estas animálculas viven allí, dentro de la prieta y compacta piedra, y allí nacen, se desarrollan y vacan a su delicia, como si estuviesen en el mismo Paraíso. Así es la vida y así hay que ser, y yo en las Malvinas no lo pasaría nada mal. El nombre mismo me es promesa. Yo conocí en Chile una mujer encantadora, a quien, según es uso en el país, llamaban *la* Malvina —de modo que si me deportan ustedes a varias, estén tranquilos, que no me voy a suicidar.

Mas precisemos, para que no haya confusión alguna. Como he dicho, es *la* criolla un tipo de feminidad ejemplar, pero no una irrealidad. Hay mujeres que poseen esas cualidades enunciadas por mí, que las poseen todas juntas y en grado máximo de perfección. Claro es que estas mujeres son excepcionales: todo lo perfecto es insólito. En ellas culmina la vida de las innumerables mujeres que han sido y son, en estas naciones de la América española. Al presentarnos perfectas y a saturación aquellas cualidades, hacemos su descubrimiento y, gracias a ello, aprendemos a verlas en las demás mujeres que poseen sólo algunas de esas virtudes o que las poseen en dosis menguante. Por eso, precisamente en beneficio de las criaturas que no son excepcionales, importa ante todo dibujar bien la figura ejemplar y excepcional, como para ver la montaña hay que mirar primero la pura lejanía de su cima.

Ya he dicho que no soy idealista. Los idealistas son unos señores que se sacaban los ideales de su propia cabeza. Vicio tal ha sido la miseria mayor de Occidente durante los dos últimos siglos, el morbo que nos ha extenuado. Yo creo, por el contrario, que los ideales, las formas de lo perfecto, hay que extraerlos de la realidad misma. Esto lo demuestro corrigiendo la idea errónea que se suele tener de la ñata. De la ñata suele decirse que es simplemente una mujer con demasiada poca nariz. ¡Qué error! Lejos de tener demasiada poca nariz la ñata, es la mujer que nos ofrece dos narices. La cosa es evidente. Descubrimos que la ñata lo es cuando nuestra mirada, deslizándose por la línea de su nariz, advierte con sorpresa que esta línea no va por donde debía. Es decir, que hay un punto en que la nariz real empieza a desviarse de otra nariz irreal, que sería la correcta, de una nariz ejemplar que nos parece como ver sobrepuesta a la efectiva. El perfil de la nariz de la ñata no coincide con la norma que es su otra nariz irreal; evita a ésta, juega a faltar a su norma, a ser, digamos, insuficiente. Es la travesura de la nariz de la ñata, que por eso sentimos como algo picaresco, burlón, que va a burlarse de nosotros porque empieza por burlarse de sí misma. La ironía es siempre ser, a la vez, dos cosas: una que se es de verdad y en plenitud, y otra en que, con creadora modestia, se finge ser menos de lo que se es. El gran irónico, como saben ustedes, fue Sócrates, tal vez el hombre más grande del mundo antiguo. Lo sabía todo y, sin embargo, sostenía por las plazas de Atenas, magnífico charlatán que era, sostenía saber sólo que no sabía nada. Se hacía el ñato de la filosofía, y ésta era su divina elegancia. Porque siempre se es, se debe ser, ñato de algo. Pero, además, era su rostro, en efecto, ñato, *camuso* dicen los italianos, patrón ilustre de todo lo ñato que luego en el mundo ha sido. Por eso el poeta Pascoli lo describe cuando, encarcelado, va a beber la cicuta, esa cicuta que periódicamente hace el buen burgués o el obrero beber al intelectual, diciendo:

> *E nel carcere in tanto era un camuso*
> *Pan bosquererecio, un placido sileno*
> *Di viso arguto e grossi occhi di toro.*

Pareja es la ironía que danza en la doble nariz de la ñata. ¿No es cierto que todas las ñatas parecen no serlo en serio, sino que quieren ser ñatas, que son ñatas... por condescendencia?

Aprendamos de ellas la gran lección. Aprendamos a no medir cosa alguna con una unidad de medida que no sea ella misma. Midamos lo que algo es con la perfección posible que, a la vez, nos muestra como un perfil etéreo que lleva siempre sobre el que, en efecto, posee. Aprendamos de una vez que toda realidad nos enseña, a la par, lo que es y lo que debe ser, su norma y su enormidad.

La criolla de que hablo es ese perfil ejemplar que toda criolla lleva sobre sí, como una constante y encantadora posibilidad.

Este es uno de los puntos sobre una *i*. Ahora viene otro. Este.

Yo estoy hablando de la criolla, pero no de la argentina como tal, y menos de la porteña. Porque hay aquí gentes que creen tener estancada la criolla, que lo saben todo de la criolla y no dejan nada a los demás, a pesar de que ellos no han caminado en el mundo más allá de Chivilcoy. Y aquí tienen ustedes un ejemplo de cómo este tema que al pronto parecía frívolo a algunos estúpidos, a esos grandes estúpidos que quieren chafarnos la riqueza de nuestras vidas, haciendo gravitar sobre ellas todas sus toneladas de estupidez, es un tema grave, tan profundo que tocarlo es remover los problemas más sustanciales de este país. Porque es representativo de cierto error de óptica que hay en la visión de sí misma que tiene la Argentina su propensión a olvidar que la criolla de aquí es sólo la más reciente manifestación de la criolla. Yo tiendo a creer que acaso las figuras más excepcionales de este tipo de mujer —no, pues, la figura más frecuente, pero sí las más perfectas— se dan en esta tierra. No insisto sobre ello ni digo las razones que me hacen pensar así, porque no quiero adular a la mujer de este país, a la cual no pido nada, ni una sonrisa, como pedía Dante a Beatriz, ni una palabra estremecida, nada. Me basta vivir yo profundamente, apasionadamente, este mi himno a la criolla. Según Goethe nos enseña:

Es el canto que canta la garganta
el premio más cabal para el que canta.

Como decía San Francisco de Asís: yo necesito poco, y ese poco lo necesito muy poco.

Es éste, sin duda, un pueblo joven. El otro día hacía yo constar en La Plata que esa expresión «pueblo joven» no es simple manera de hablar. Pero no exageremos, no es un pueblo párvulo, tiene ya un pasado respetable. Aunque ha sido como nación la más nueva de estas americanas, tiene a su espalda y allá arriba, hacia el Noroeste, cuatro siglos de pasado. En la perfecta criolla de hoy se han destilado gota a gota esas cuatro centurias de esfuerzo vital, de experiencias, de ensayos, de fervores, de dolores. Y el error óptico de este país está en mirar demasiado poco a ese Noroeste, al tesoro de ese pretérito que está ahí, en ustedes, pero está paralítico, sin movilizar, sin actualizar. No puedo ahora desarrollar este tema, como no puedo ni siquiera lanzarme a describir la formación de la criolla a lo largo de esos cuatro siglos. Lo único que puedo, así apurado como voy, es disparar un pistoletazo, para llamar la atención sirviéndome de un ejemplo extremo.

Me parece una mala inteligencia pueril, un no tener la menor idea de la cuestión, querer fundar la personalidad de estos pueblos procurando una continuidad sustancial con la indiada. En la repulsa de eso hay que ser, a mi juicio, sobre manera enérgico. La arquitectura del alma argentina, el sistema de su dinámica fundamental, no tiene que ver con el indio. Pero es incuestionable que como un ingrediente secundario o terciario, el indio, sobre todo porque lo tuvo, tiene su papel. Un papel mínimo, casi imperceptible, pero innegable. Una gota de sangre india, sobre todo si fue de las mejores castas amerindianas —les subrayo esta bella palabra que desde hace muy pocos años comienzan a usar los etnólogos ingleses y norteamericanos para designar al indio americano—, una gota de sangre amerindiana es un fermento, una vitamina, que por sí no es nada, pero que excita e incita las sustancias positivas del alma criolla. Un médico griego escribió hace poco un folleto sugiriendo —no sé si en serio, pero para el caso es igual— que aquel milagroso y sin par frenesí intelectual y estético y bélico de Grecia, aquella inverosímil lucidez fueron debidos al paludismo de las tierras helénicas, el cual intoxicó levemente los cerebros, lo bastante para mantener en ellos una genial combustión. Yo diría que las gotas, las pocas gotas de sangre india que han intervenido en la vida de este país, que ingresaron en las venas de España hace siglos, este paludismo amerindiano, ha contribuido a esa vehemencia de la criolla, ha asegurado su genial temperatura, esa fiebre, esa fiebre blanda y sin intermitencia que el hombre de Europa siente irradiar de la criolla y le hace pensar que todas las demás mujeres son un poco inconfortables por deficiente calefacción.

Hace pocos días una criatura admirable, amiga de mi mujer y de mi hija, que me ha cuidado en mis primeras semanas, aún valetudinarias, de mi vida aquí, deslizó en la conversación inadvertidamente unas palabras por las cuales podía yo colegir que allá en la lontananza de siglos había entrado en su casta sangre incaica. No es para decir el brinco que yo di, el escalofrío medular que como un latigazo sentí ante la eventual presencia de sangre inca a mi vera. Esto no lo pueden ustedes comprender porque no se sabe, porque nunca se ha dicho lo que un español, que lo sea como yo hasta el tuétano, siente en estos países, las regiones de su ser que tenía como dormidas y que de pronto aquí se ponen en erupción. Es increíble, pero este tema está aún intacto. Y no cedí hasta que obtuve el árbol genealógico de la familia, el cual desde hace una semana llevo en el bolsillo como un talismán. Es la genealogía de la familia porteña Ramos Mejía, una espléndida estirpe. Resulta que en esta casta entra por dos vías sangre imperial del Perú. Hay por un lado nada menos que Tupac Yupanqui, inca soberano del Perú. Y hay, por otro, un Diego de Avendaño, conquistador del Perú —nada menos, señores—, que casa con Juana Azarpay, inca princesa peruana. Diego de Avendaño era un hidalgo montañés, de la región santanderina, tan rica en casas nobles, que por eso ostenta en sus casonas, entre la húmeda verdura, enormes blasones que abultan en los muros de piedras como bíceps genealógicos. Y en estos años, casi día por día y en las horas en que hace uno, decía yo casi adiós a la vida, estaba junto a mí una Avendaño, mujer de mi médico, uno de los tres o cuatro mayores médicos españoles, el doctor Hernando. Los Avendaño siguen siendo los hidalgos de Liendo, cerca de Santander. No; el pasado no ha roto su continuidad con el presente, no es un fantasma preterido, sigue manando desde Diego de Avendaño, en el siglo XVI, hasta ahora, hasta la cabecera de la cama donde yo, incorregible, dirijo piropos a la muerte.

¡Piensen ustedes, piensen ustedes —alucinadamente— lo que sería aquello! ¡Diego de Avendaño y la princesa inca! ¡El amor es siempre un choque a la vez feliz y terrible, el amor es siempre delicia y estrago! ¿Qué pasaría entre estos dos seres, tan distintos, tan distantes, que chocan de pronto en el universo de la pasión? Este conquistador, este hidalgo fiero —como buen español, loco por la feminidad, apasionado, galante, conceptuoso, elocuente, y a la vez atroz, áspero, bronco, desesperado, melancólico, con la muerte pronta siempre a su lado, como su sombra— y esta india de una de las razas más nobles que han existido en el mundo, aquellos misteriosos y señoriales incas del Cuzco que adoraban el sol y las estrellas y todo lo fulgural, esta india muda, de semblante quieto, con un fuego arcano, fuego de montaña que va a ser volcán, esta india con su dulzor extrahumano, un dulzor cósmico, la íntima dulzura del vegetal y la dulzura de la estrella. ¿No han pensado ustedes en una noche limpia, cuando las estrellas cruzan como menudas vísceras de oro y de fuego, que las estrellas deben ser dulces, que lo sabríamos si pudiésemos besarlas? ¡Besar una estrella —¡buen Dios!—, qué delicia casi mortal! ¡Sentir que la estrella pusiese su temblor, su temblor inextinguible e incandescente, sobre nuestros labios! En la Biblia los labios se purifican con un carbón ardiente. Santo Tomás de Aquino soñó que tocaban los suyos con un ascua para que pudiesen hablar, con pureza, de teología; un ascua, un carbón ardiente es casi la definición de la estrella. ¡Qué amores, qué amores deleitables y tremebundos debieron de ser aquellos entre el conquistador y la princesa inca! La hija que tuvieron era ya, en germen, la criolla, a un tiempo hijodalgo e hija del Sol. Este noble ingrediente amerindiano es uno de los muchos con que las abejas de los años han ido elaborando la miel de la criolla.

Pero no se me entienda mal: una criolla puede ser criollísima sin una gota de sangre india; es más: la criolla modelo carece de ella. Pero el tipo de mujer que es la criolla ha sido creado poco a poco en lo colectivo. En esa figura anónima y como nacional han ido depositando sus invenciones personales todas las criollas, y de esa norma o pauta extrapersonal ha pasado el conjunto de los rasgos, cualquiera que sea su origen, a las mujeres de estos pueblos. De este modo la princesa inca opera sus secretas químicas en la porteña que no tiene ni una gota de sangre peruana, como la hijadalgo está presente en la mujer actual de padres tudescos o italianos.

Vamos ahora al tercer punto sobre la tercera *i:*

El primer atributo de la criolla era la vehemencia; el segundo, la espontaneidad, el saber vivir y ser en todo instante desde el fondo auténtico de la persona, evitando todo lo convencional y aprendido de fuera, pero a la vez eludiendo toda extravagancia y presunta originalidad. La criolla es cotidiana; no es lo que es sólo en ciertas solemnidades del año, ni sólo a la hora del *cocktail*. La espontaneidad es un fluir continuo de la más honda intimidad hacia el exterior; por tanto, dar salida perpetua a los primeros movimientos, los cuales, según los concilios, no pecan. Mas esto plantea una pequeña cuestión. No obstante los concilios, aun en el ser de mejor calidad, los primeros movimientos son un torrentillo que arrastra todo, la arena de oro que hay en el alma y la broza y el gusarapo, mayor o menor, que todo abismo engendra. Conviene, pues, precisar un poco, porque si esa espontaneidad fuese sólo un dejar salir lo que dentro germina, equivaldría a abandono, a falta de rienda y a un «¡allá va todo!». La espontaneidad requiere selección para dar paso sólo a lo que es valioso y reprimir lo inferior. ¿Qué facultad puede encargarse de esa discriminación y de esa crítica íntima? Si es una cautela reflexiva, se corre el riesgo de caer en una intervención pedagógica y policíaca, que, desde fuera de la espontaneidad, actúa fría y pedante sobre ésta. Lo cual traería uno de estos dos resultados: la reflexión cautelosa que detendría por completo la fluencia auténtica de la criolla o, lo que es peor aún, tendería a sustituir lo espontáneo por formas muy discretas, pero muy convencionales. ¡Adiós vehemencia, adiós naturalidad, adiós gracia! Pero a Dios gracias, la criolla resuelve la cuestión maravillosamente. Porque su espontaneidad no es atropellada, orgiástica ni ciega. ¡Es curioso! La criolla no es mujer de orgía. Ya he dicho —y por esto lo he dicho— que es cotidiana, que existe siempre sobre sí, como se está en la hora habitual y tranquila, y goza de una extraña lucidez. La espontaneidad es en ella, y a la vez, vigilancia, y esta vigilancia no se parece a la deliberación ni al cálculo, sino que es tan espontánea como la espontaneidad misma, algo así como lo que llamamos «buen gusto» o en música «buen oído», dotes que no son reflexivas, sino que son también primeros movimientos. Por eso la criolla vive en un abandono que no se abandona, que se vigila a sí mismo sin frenarse ni denunciarse. En Buenos Aires esto no se ve tan claro. Porque aquí no sé quién se ha empeñado desde hace dos generaciones, desde los viajes excesivamente largos a París y a Londres, en desnaturalizar y hacer artificial a la admirable mujer porteña. Cuando hablo téngase en cuenta una vez más que hay, que existe, antes que la de Buenos Aires, la criolla antillana, la mejicana, la del istmo, la de Quito, la de Cartagena de Indias, la de Lima y el Cuzco. A veces piensa uno que el Buenos Aires del último tiempo es una enorme conspiración contra la criolla, algo así como el frigorífico de las criollas, que las congela primero y las exporta después. Por fortuna, Buenos Aires no es lo que quieren unos cuantos, y yo sigo creyendo que las cimas de este tipo de mujer, que es el más alto de la feminidad, por tanto, las cimas de las cimas, se elevan probablemente aquí.

Lo difícil es llegar hasta ellas; lo difícil, como en el Himalaya, es la ascensión.

Intercalo aquí la advertencia, acaso innecesaria, de lo limitado que la falta de tiempo hace mi tema. Porque la criolla es madre, es esposa, es hermana, es hija, y todo eso lo es con un estilo especial que convendría definir; pero yo he tenido que reducirme a lo que la criolla es antes de todo eso, porque es supuesto de todo eso, a saber: mujer, sólo mujer. Si la mujer no fuese ante todo mujer, no sería nuestra esposa, ni nuestra madre, ni nuestra hermana, ni nuestra hija. Conste así.

Por cierto que he recibido de La Plata una carta firmada con el seudónimo *La que se busca,* carta nada sentimental, pero cuyo contenido es del mayor interés y que está egregiamente escrita. Yo ruego a quien la escribió que abandone su anonimato y me permita contestarle. El asunto que plantea es éste: «¿Es la misión de madre la *única* misión de la mujer, su destino *único*? Y si no es el único, ¿cuántos tiene?» Comprenderá la avispada criatura que se oculta en la mantilla de un atractivo seudónimo que yo no puedo ahora rozar el asunto, un asunto monumental, nada menos que el llamado por mí «sistema de las categorías del ser femenino»; esto es, de las cosas que hoy puede y debe ser con plenitud la mujer. Hace muchos años, en mi correspondencia con el gran filósofo Scheler, debatimos el asunto y no andábamos en gran desacuerdo, tal vez porque tratamos a fondo el tema y discutimos todas las posibilidades femeninas, desde la monja a la prostituta. Comprenderá esta criolla que me escribe, y que no lo es del todo, puesto que usa un seudónimo, lo larga que tendría que ser nuestra conversación.

Saltándonos la gracia, tercer atributo de la Eva americana, vamos en pocas palabras al cuarto: la molicie.

La criolla es muelle. Yo no sé si transmitirles lo que con esta palabra pienso es muy fácil o es muy difícil. A mí me parece tan evidente que con una ligerísima insinuación debía bastar. Imaginen ustedes un objeto provisto de infinitos minúsculos muelles, con fina y enérgica elasticidad. Al apoyarnos en él, los muelles ceden —¡qué suavidad!—; es un grato caer, pero como tienen elástico vigor, reaccionan y nos levantan, nos devuelven a nosotros mismos, librándonos de nuestro peso —es casi volar—, y juntas ambas cosas son, más bien, mecerse. Esto es la molicie de la criolla y es la calidad que nos impide librarnos de ella. Porque no es blanda con blandicie inerte, sino muelle, elástica. En parangón con ella, toda otra mujer, o es un poco dura —de talla, de piedra—, o es francamente etérea, espiritada, irreal, fantasmática. Esta puede tener su encanto, pero un encanto con los mismos adjetivos —también etéreo, irreal y fantasmático. Recuerden ustedes una figura —egregia, sin duda—, la archirromántica, la mujer arcángel, Lucila de Chateaubriand, que muere tan joven, como volatilizada su impalpable persona. Pocas horas antes de sucumbir decía, preocupada: «¡Qué voy a hacer yo delante de Dios, un ser tan respetable, yo, que no sé más que versos!»

La criolla ni es dura ni etérea, sino ese venturoso justo medio, que es lo muelle. Es muelle su cuerpo, lo son sus movimientos; es muelle su voz —se mece uno en su voz—; ¡ay, la voz de la criolla, hecha con el reposo y el silencio de las estancias y de los ranchos! Existe un *haikai,* que es el poema más sencillo del mundo y que me parece maravilloso. Imaginen ustedes un japonés sentimental que en un día redondo de primavera sale a caminar, a embriagarse de luz, de paisajes, de existencia. Un poco cansado, se sienta a la puerta de una posada a beber algo, a acariciarse los ojos peinándolos con la campiña, con la ribera que acelera sus aguas. De pronto siente junto a sí un aroma en que culmina la delicia del momento y exclama: «¡Ay, el olor de estas glicinas!» Esta exclamación, sólo esta exclamación, es todo el *haikai,* todo el poema. Yo digo lo mismo. ¡Ay, la voz de la criolla! Pero yo lo digo en vieja remembranza, y el japonés tenía las glicinas a su vera, al alcance de su mano y de su olfato, y el aroma no era el recuerdo de un aroma...

Tengo que renunciar a describir el más grave y el más hondo de los atributos de la criolla que el otro día anuncié: el talento peculiar que le hace entender de hombres. Es un asunto de gran delicadeza y que requiere la movilización de muchas cuestiones demasiado profundas de la historia humana. Sería forzoso hablar de la relación entre ambos sexos a lo largo de los siglos, de cómo se enfrentan hombre y mujer en los pueblos jóvenes, a diferencia de los pueblos viejos, y de innumerables cosas que nunca han sido tratadas a fondo. Más vale que lo dejemos. Ya he dicho que es preferible fracasar. Además, mi voz empieza a aburrirse de mi voz. Ha caminado mucho, ciega, sorda, se ha extenuado en muchos sitios sin saber lo que en ellos le pasaba... Quiere ya volver a mí: retirarse, apagarse, extinguirse. ¡Adiós, adiós!

PROLOGO A «EL COLLAR DE LA PALOMA», DE IBN HAZM DE CORDOBA[1]

Mi amistad hacia Emilio García Gómez es oscilante: pendula entre ser fraternal y ser paternal. El cariz de paternalidad le viene de que la cronología de mi vida es mucho más larga que la exhibida por la suya, y el modo fraternal se origina en que al hablar de Fulano coincidimos.

Cuando se coincide al opinar sobre Fulano se coincide en todo lo demás. También es verdad lo inverso. La coincidencia ni implica ni siquiera prefiere ser identidad de juicio. No se trata de que coincidan las ideas, sino las vidas. Nadie puede tener las mismas ideas que otro si, de verdad, tiene ideas. La idea es personalísima e intransferible. Cuando un pensamiento nos es común corre grande riesgo de no ser una idea, sino todo lo contrario, un tópico. El *tópico* es el *lugar,* el lugar común, el sitio en que los hombres coinciden tanto, que se identifican y se confunden, cosa que no puede acontecer sino en la medida en que los hombres se mineralizan, se deshumanizan. En su verdad, en su

[1] [Versión española de Emilio García Gómez, Madrid, 1952. Reimpreso en el Libro de Bolsillo de Alianza Editorial.]

autenticidad los hombres son incomunicantes. Los propios escolásticos, tan poco sensibles a estos temas, definían ya la persona por la incomunicabilidad. En su contenido, las ideas pueden discrepar sobremanera y, sin embargo, coincidir en lo único que importa: en haber sido pensadas desde el mismo nivel. En última instancia, nuestros sufrimientos, al tratar con los prójimos, suelen proceder de que pensamos, sentimos y somos sobre niveles diferentes.

Precisamente es éste uno de los dones mágicos poseídos por el amor, de que este libro tan a fondo diserta. A ello se debe, por ejemplo, el prodigioso fenómeno de que la mujer amante de un hombre cuyas dotes parecen muy superiores a las de ella, no se sabe cómo, simplemente amando, se eleva a su altitud. O bien, la viceversa. Pues ahí están los dos versos terminales de *Fausto,* en que Goethe se acoge a esta imagen del nivel. El Eterno-Femenino es una realidad peraltada a la cual el hombre, cuando ama, se eleva, no por propio poder ascensional, sino porque es atraído —hacia lo más alto. No se me negará que la mujer si es algo, es atractiva, esencialmente atractiva; pero Goethe nos hace reparar que su atracción es siempre, siempre, cenital:

Das ewig-Weibliche
Zieht uns hinam.

Con lo cual hemos caído, como por escotillón, dentro de este libro que Emilio García Gómez se ha tomado el largo y penoso esfuerzo de traducir. Era una deuda que los españoles, tomados corporativamente, teníamos. Porque este libro, el más ilustre sobre el tema del amor en la civilización musulmana, que ha sido vivido, pensado y escrito en tierras de España por un árabe «español», estaba, tiempo ha, traducido en otras lenguas, pero nadie se había atrevido a irle al cuerpo y verterlo en castellano.

Claro está que, al llamar a Ibn Hazm árabe «español», le atribuyó el arabismo en serio y la españolía informalmente. Sin que yo pretenda estorbar que los demás hagan lo que les plazca, no estoy dispuesto, por mi parte, a correr la aventura de llamar en serio «español» a cualquiera que nace en el territorio peninsular, aunque sea de sangre «indígena» y aunque haya vivido aquí toda su vida. La territorialidad y el plasma sanguíneo son los últimos atributos que pueden calificar la «nacionalidad» de un hombre, esto es, la sustancia histórica de que está hecho, y sólo tienen eficacia cuando se dan en él antes todos los demás. La prueba simple y notoria de ello está en que, viceversa, cabe ser español hasta el grado más superlativo sin haber visto nunca la tierra española, e igualmente cabe serlo teniendo muy poca o ninguna sangre de nuestra casta. Y esto que es verdad ahora, cuando España, desde hace mucho tiempo, ha llegado a la plenitud de su nacionalidad, lo era mucho más en el friso de los siglos décimo y undécimo, cuando la «cosa» España empezaba tan sólo a germinar. Todos estos calificativos «nacionales» significan, tomados en su precisión, la pertenencia substantiva a una determinada sociedad, y la sociedad árabe de Al-Andalus era distinta y otra de la sociedad o sociedades no-árabes que entonces habitaban España[1].

Pero esto no quita, como he dicho, que nuestra relación con los árabes de Al-Andalus, o «españoles», no implique para nosotros ciertos deberes respecto a su memoria; deberes que últimamente se fundan en la ventaja que nos proporciona cumplirlos, ya que con ello nutrimos nuestra propia sustancia, enriqueciendo y precisando nuestra españolía. Porque nuestra sociedad ha convivido durante siglos con esa sociedad andaluza, piel contra piel, en roce continuo de beso y lanzada, de toma y daca, de influjo y recepción. Y una de las grandes vergüenzas que desdoran los estudios históricos es que,

---

[1] Para que no quede la idea en vago, añadiré que entiendo por sociedad una colectividad de seres humanos sometidos a un determinado sistema de usos.

a estas alturas, ni de lejos se haya logrado esclarecer la figura de la relación entre ambas sociedades. Esta es la causa del balanceo extremo entre las opiniones sobre los influjos de una en otra, a que hace referencia García Gómez en su *Introducción*. Es justo reconocer que nuestros arabistas, desde Ribera, han dado algunos importantes pasos en el intento de irse representando con alguna concreción cómo convivían andaluces y españoles. Pero la cuestión no puede avanzar grandemente si no se la toma en un estrato más profundo. Es preciso, en efecto, comenzar por definir bien, y por separado, la estructura de ambas sociedades, para poder luego figurar su enfrente y engranaje.

El tema, sin embargo, no puede reducirse a los límites de España. Es mucho más amplio. La mayor porción de Europa ha tenido también un contacto secular con la civilización árabe, una inmediatez cutánea con ella. Mas tampoco los historiadores extranjeros han derramado claridad sobre este hecho, que fue una de las grandes realidades en la historia occidental. Esta falla ha sido una de las principales causas que han impedido la inteligencia de la Edad Media europea. No es posible comprender bien un hecho histórico, sea el que sea, si no se acierta a contemplarlo desde el punto de vista que mejor manifieste su más auténtico sentido, es decir, desde el cual se divise a sabor, y *en toda su extensión,* el área de realidades humanas a que el hecho pertenece. Todo lo que sea mirar el hecho sobre el fondo de un área que es sólo parcial lo desdibuja y falsea automáticamente. Pues bien, desde hace muchos años —y Emilio García Gómez me es testigo de mayor excepción— sostengo que la Edad Media europea no puede ser bien vista si la miramos centrando la historia de aquellos siglos en la perspectiva exclusiva de las sociedades cristianas.

La Edad Media europea es, en su realidad, inseparable de la civilización islámica, ya que consiste precisamente en la convivencia, positiva y negativa a la vez, de cristianismo e islamismo *sobre un área común impregnada por la cultura grecorromana.* De aquí que el único punto de vista adecuado sea de indiferencia ante esas dos vertientes de la vida medieval, contemplando su aparente dualidad y discrepancia como unidad y coincidencia, que asumen dos modalidades distintas. Y la razón fuerte de ello es que ambos orbes —el cristianismo y el musulmán— son *sólo* dos regiones de *un* mundo geográfico que había sido históricamente informado por la cultura grecorromana. La religión islámica misma procede de la cristiana, pero esta procedencia no hubiera podido originarse, a su vez, si los pueblos europeos y los pueblos árabes no hubiesen penetrado en el área ocupada durante siglos por el Imperio Romano. Germanos y árabes eran pueblos periféricos, alojados en los bordes de aquel Imperio, y la historia de la Edad Media es la historia de lo que pasa a esos pueblos conforme van penetrando en el mundo imperial romano, instalándose en él y absorbiendo porciones de su cultura yerta ya y necrosificada. La Edad Media, por una de sus caras, es el proceso de una gigantesca recepción: la de la cultura antigua por pueblos de cultura primitiva. Y la génesis cristiana del islamismo no es sino un caso particular de esa recepción, producida por el mismo mecanismo histórico que llevó a los árabes del siglo IX a recibir a Aristóteles y a Hipócrates y a Galeno y a Euclides y a Diofanto y a Tolomeo. Se olvida demasiado que los árabes, antes de Mahoma, llevaban siete siglos rodeados por todas partes de pueblos que estaban más o menos helenizados y que habían vivido bajo la administración romana. No es sólo de Siria de donde sopla sobre los árabes el gran viento de la Antigüedad, sino de Persia, de la Bactriana y de la India. En cambio, Europa, por su lado norte, se mantuvo libre de influjos grecorromanos y pudo conservar más tiempo intactas las raíces de su primitivismo.

Los estadios de esta recepción son, en su comienzo,

muy similares. La única diferencia inicial —que es, sin duda, importante— radica en que los árabes recibieron la Antigüedad en su aspecto de Imperio Romano de Oriente, y los europeos en su forma de Imperio Romano de Occidente. Esto trajo consigo, por ejemplo, que los árabes pudieran tener muy pronto su Aristóteles, y, en cambio, el Cristianismo suscitador del Islam fuese el nestoriano y el de los monofisitas, dos perfiles arcaicos de la fe cristiana. En los estadios siguientes la recepción fue poco a poco tomando caracteres más divergentes, hasta que en el siglo XIII cesa entre los árabes, cuya civilización queda reseca y petrificada a fuerza de Corán y de desiertos. Pues los desiertos, que ciñen por Oriente y Sur el mundo islámico, lanzan sobre él periódicamente oleadas de puritanismo asolador. Los beduinos son sus portadores. La última avenida, bien reciente, ha sido la de los wahhabíes del Nechd, que, al concluir la primera guerra mundial, dirigidos por Ibn Sa'ud, cayeron sobre la Arabia de las ciudades de Meca y Medina[1].

Mi idea, por tanto, es que, al comenzar la llamada Edad Media, germanismo y arabismo son dos cuerpos históricos sobremanera homogéneos por lo que hace a la situación básica de su vida, y que sólo luego, y muy poco a poco, se van diferenciando, hasta llegar en estos últimos siglos a una radical heterogeneidad. La opinión contraria, que es la usual, surgió por generación espontánea, irreflexivamente —cosa tan frecuente en los historiadores—, porque proyectaron sobre aquellos primeros siglos medievales la imagen de extrema heterogeneidad que hoy nos ofrecen ambos grupos de pueblos. Pero esto, a su vez, no habría acontecido si se hubiesen tomado el trabajo de reconstruir analíticamente la estructura básica de la vida humana en la Edad Media. Habrían entonces caído en la cuenta de hasta

[1] Quien quiera ver concretamente cómo el Corán apergamina las almas y reseca a un pueblo, no tiene más que leer las memorias de Taha Hussein —*Le livre des jours,* 1947. El autor, que es ciego, ejerce actualmente el cargo de ministro de Educación en Egipto.

qué punto fue decisivo en aquel modo de ser hombre, de existir, el hecho de que pueblos de una cultura primitiva viniesen a habitar en un espacio social —el área del Imperio Romano— donde preexistía una civilización llegada al último estadio de su desarrollo y, por lo mismo, de su complicación y su refinamiento. Por fortuna, esta civilización se hallaba ya atrofiada, caduca, y en avanzado proceso de involución, lo cual implica que había perdido gran parte de su ubérrima riqueza, que se había vuelto abreviatura de sí misma. Recuérdese que, por ejemplo, en el orden intelectual, la cultura grecorromana, hacia el siglo v d. C., se ha resumido y reducido a epítomes y enciclopedias o diccionarios. De no haber sido así, el choque —lo que llaman hoy los etnógrafos anglosajones el *clash of cultures*— habría sido excesivo, y sus resultados muy distintos. Los pueblos nuevos se habrían perdido, como en una selva tremenda, en la exuberancia de la vida «clásica». Por fortuna, repito, ésta había sido ya epitomizada *ad usum delfinis*. El delfín era el germano, era el árabe.

Pero ahora viene la advertencia verdaderamente fértil, que pudiera dar la clave para la inteligencia de la Edad Media, y que no he visto nunca formulada. La cultura clásica, aún contraída y esclerosada, significaba un repertorio de formas de vida enormemente más complicadas y más sutiles que las tradicionales en aquellos pueblos invasores. El germano y el árabe no podían entenderlas bien. No sólo por su complicación y sutileza, sino porque habían nacido de raíces que les eran ajenas, inspiradas por experiencias históricas distintas de las suyas. Mas, de otra parte, se les imponían, en algunos órdenes, por razones de utilidad, como en la administración, y en todos por razón de su prestigio incomparable, Yo no sé últimamente si cabe decir que el Imperio Romano ha sido el hecho más importante de la historia hasta la fecha actual, pero no creo exorbitante afirmar que lo ha sido su *prestigio,* poder tan tenaz que todavía gravita sobre nosotros.

Esto trajo consigo que, en la base misma de la existencia medieval, se diese una dramática dualidad al encontrarse el germano y el árabe con dos distintos repertorios de formas delante de sí, cada uno de los cuales solicitaba que el hombre hiciese por ellos fluir, como por un cauce, su comportamiento vital. Los modos hereditarios de su pasado tribal informaron, como no podía menos, su vida cotidiana, pero ésta no es sentida como «vida», por ser pura habitualidad. Cuando, emergiendo de los hábitos en que de puro acostumbrados y mecanizados no reparamos, nos hacemos cuestión de vivir, buscamos lo contrario de la vida habitual, buscamos «vivir como es debido». Por su prestigio, las formas de la existencia grecorromana se presentaban a los pueblos nuevos con el carárter de «vida como es debido», frente a la «vida como es costumbre». Y he aquí por qué la estructura de la vida medieval es tan sorprendente. Es una vida de dos pisos, sin suficiente unidad entre ambos. Hay el estrato de los usos inveterados, y hay el estrato de los comportamientos ejemplares. Aquél es vivido con autenticidad, pero inconscientemente. Este es una serie de afanes imitativos, y la relación entre el hombre y lo que hace no es en él espontánea ni en este sentido sincera; es querer ser otro del que se es. Germanos y árabes se dedican a imitar a griegos y romanos, a intentar «ponerse» sus formas de vida —en la administración, en el derecho, en la concepción del Estado, en ciencia, en poesía[1]. La religión misma toma en ellos aspectos de conmovedor mimetismo. Ya el islamismo es una imitación del cristianismo *ad usum* del delfín que vivía en el desierto. Pero también el cristianismo del germano es un remedo del de los padres de la Iglesia.

Esta estructura básica de la vida medieval fue la

---

[1] Con lo cual no va dicho que ambos adoptasen igualmente todas esas disciplinas. Por ejemplo, mientras los árabes absorben inmediatamente las ciencias helénicas, permanecen impermeables a la poesía antigua. Los europeos hicieron estrictamente lo contrario.

causa de hecho tan sorprendente y monstruoso como el Escolasticismo, es decir, la filosofía que tenazmente cultivaron las universidades de Occidente durante toda aquella Edad, hecho que espera aún su esclarecimiento, porque no se le ha visto sobre el fondo de muchos otros escolasticismos. El así famosamente llamado es sólo un caso particular de toda una gran categoría histórica, del «escolasticismo» con carácter genérico, que se ha dado y se sigue dando en muchos lugares y tiempos. Llamo «escolasticismo» a toda filosofía recibida —frente a la creada—, y llamo recibida a toda filosofía que pertenece a un círculo cultural distinto y distante, en el espacio social o en el tiempo histórico, de aquellos en que es aprendida y adaptada.

Los que ignoran de qué ingredientes están hechas las «ideas» creen que es fácil su transferencia de un pueblo a otro y de una a otra época. Se desconoce que lo que hay de más vivaz en las «ideas» no es lo que se piensa paladinamente y a flor de conciencia al pensarlas, sino lo que se *soto-piensa* bajo ellas, lo que queda sobredicho al usar de ellas. Estos ingredientes invisibles, recónditos, son, a veces, vivencias de un pueblo formadas durante milenios. Este *fondo latente* de las «ideas», que las sostiene, llena y nutre, no se puede transferir, como nada que sea vida humana auténtica. La vida es siempre intransferible. Es el Destino histórico.

Resulta, pues, ilusorio el transporte integral de las «ideas». Se traslada sólo el tallo y la flor y, acaso, colgando de las ramas, el fruto de aquel año, lo que en aquel momento inmediatamente es útil de ellas. Pero queda en la tierra de origen lo vivaz de las «ideas», que es su raíz. La planta humana es mucho menos desplazable que la vegetal. Esta es una limitación terrible, pero inexorable, trágica.

Pretender que aquellos frailes de cabeza tonsurada fueran capaces de entender los conceptos griegos, la idea de Ser, por ejemplo, es ignorar la dimensión trágica que acompaña al acaecer histórico como el hilo rojo va incluso en todos los cables de la Real Marina inglesa. En la recepción de una filosofía ajena, el esfuerzo mental invierte su dirección, y trabaja, no para entender los problemas, lo que las cosas son, sino para llegar a entender lo que otro pensó sobre ellas y expresó en ciertos términos. El «término» no es una palabra de la lengua, sino un signo artificial. Por eso no se entiende sin más. Creado en virtud de una definición, hay que llegar a él entendiendo ésta, que, a su vez, está compuesta de términos. De aquí que todo escolasticismo es la degradación de un saber en mera terminología[1].

Ahora bien, los primeros escolásticos no fueron los monjes de Occidente, sino los árabes de Oriente. Santo Tomás aprende su Aristóteles a través de Avicena y Averroes. Es más, la facción de escolasticismo es aún más pronunciada en toda la civilización islámica que en la de los pueblos medievales europeos. Aún adolescentes, estos pueblos, merced acaso a su componente germánico, poseyeron desde muy pronto un estro creador que los árabes no han tenido nunca, y por ello quedaron detenidos en cuanto acabaron de recibir. Pero lo que aquí importa es subrayar este carácter escolástico común a ambas civilizaciones, y que se origina en la anómala estructura dual de la vida humana durante la Edad Media. No hay, pues, que buscar la causa de ese carácter en presuntas propensiones étnicas. El *etnos* era completamente distinto en uno y otro grupo de pueblos, pero ambos estuvieron sometidos a la presión de una misma básica circunstancia: la de tener que irse haciendo sobre unas glebas ocupadas ya por una magnífica cultura extraña a ellos.

Esta idea de la vida medieval es, ni más ni menos, lo que tiene que ser una idea, a saber, un esquema, una

---

[1] Utilizo aquí unos párrafos de mi libro *La idea de principio en Leibniz y la evolución de la teoría deductiva.* [Publicado en esta colección.] Por supuesto, el Humanismo, enemigo del Escolasticismo, no fue sino otro escolaticismo, de signo inverso, pero de idéntica progenie, y que sigue gravitando sobre las mentes europeas.

ingente cuadrícula sobre la cual debemos proyectar el hecho de la vida arábigo-andaluza que es este libro del amor urdido por Ibn Hazm. Porque los libros son, en el sentido fuerte de la palabra, acciones de los hombres y no excrecencias botánicas de los árboles ni precipitados atmosféricos. El libro se ocupa del amor, y en una nueva filología que ya desde hace mucho premedito y postulo, lo primero que reclama ser hecho ante un texto es ponerse uno en claro sobre la cosa de que habla. Es preciso acabar con esa filología puramente verbal que cree haber cumplido su faena refiriendo un texto a otros textos y así hasta el infinito. Exijamos una filología pragmática. Así, ante este viejo libro que se ocupa de la gran faena humana que dicen amor, se debiera comenzar esclareciendo un poco la cosa que éste es. Pero aquí y ahora es ello imposible, no sólo porque nos llevaría muy lejos, y no parece oportuno escribir otra *risala* sobre la que calamizó el buen cordobés, sino porque en nuestro contorno actual hay muchas gentes demasiado convencidas de que el Universo ha sido creado a beneficio de las ursulinas. El tema del amor es *tabú,* como si fuera algo estrambótico, surgido patológicamente en ese Universo que las tales gentes pretenden a su antojo y provecho administrar.

Al asomarnos a este libro, la primera curiosidad que sentimos es averiguar si el amor fue entre los árabes el mismo afán que es entre nosotros. Suponer que un fenómeno tan humano como es amar ha existido siempre, y siempre con idéntico perfil, es creer erróneamente que el hombre posee, como el mineral, el vegetal y el animal, una naturaleza preestablecida y fija, e ignorar que todo en él es histórico. Todo, inclusive lo que en él pertenece efectivamente a la naturaleza, como son sus llamados instintos.

Sin duda hay en el hombre —¡gracias sean dadas a Dios y a Alah!— un repertorio residual de instintos, entre ellos esta sorprendente atracción erótica de un individuo por otro. Esto, claro es, ha existido siempre.

Pero es preciso tener en cuenta que los restos de instintos aún activos en el hombre no se dan ni funcionan aislados jamás. Aun el más básico de todos, que es el de conservación, aparece complicada con las más abstrusas creaciones específicamente humanas, como el honor, la fidelidad a una creencia religiosa, la desesperación, que llegan, inclusive, a suspender su funcionamiento. Esta coalescencia de lo natural con lo cultural hace irrecognoscible al instinto, lo convierte en magnitud histórica que nace un día para desaparecer otro, y entremedias sufrir las más hondas modificaciones.

Por malaventura perturba la comprensión de esta realidad, que por ser elemental debía ser resplanciente, el vicioso e inveterado uso de llamar con la sola palabra «amor» las cosas más dispares. Ejemplo del mismo error es denominar con el vocablo único «poesía» lo que hizo Homero y lo que hacía Verlaine cuando, en efecto, se trata de ocupaciones apenas emparejables. En el caso a que vamos, la situación lingüística es especialmente desdichada, porque en las lenguas romances se llama «amor» a ese repertorio de sentimientos, y esta palabra nos es profundamente ininteligible merced a que arrastra una raíz para nosotros muerta, sin sentido. Nuestras lenguas la tomaron del latín, pero no era una palabra latina. Los romanos la habían, a su vez, recibido del etrusco, que es hoy una lengua desconocida, hermética. Este hecho lingüístico es ya de suyo bastante elocuente, pues ¿qué quiere decir que realidad tan íntima y, al parecer, tan universalmente humana como el ajetreo erótico tuviera que ser nombrada por los romanos con un vocablo forastero? ¿Es que los romanos, antes de ser civilizados por los etruscos, no conocían eso que los etruscos llamaban «amor», y, por tanto, que éste fuera para ellos una «institución» nueva, algo así como un cambio de régimen en la existencia privada? Que algo parecido a esto aconteció queda automáticamente probado por ese hecho lingüístico. Pero entonces se pregunta uno qué diablo sería eso que los etruscos habían inventado y cultivado y refinado y a que dieron, por razones semánticas para nosotros ocultas, el nombre de «amor», llamado a tan ilustre destino. La historia, si se la sabe mirar, está llena de escotillones como éste. Lo que se conoce de la vida etrusca declara suficientemente que el amor fue en aquel pueblo cosa muy distinta de la que iba a ser para nosotros, y, a lo mejor, cuando a nuestro más férvido y etéreo sentimiento por una mujer le decimos «amor», le estamos, sin saberlo, llamando una cosa fea. Los etruscos fueron uno de los pueblos más sensuales que han existido. Su sensualidad era torva, exasperada, desesperada. Tuvieron el genio de morir a fuerza de voluptuosidad.

En la página 68 del libro de Ibn Hazm leemos estos versos:

Te amo con un amor inalterable
mientras tantos amores humanos no son más que espejismos.
Te consagro un amor puro y sin mácula:
en mis entrañas está visiblemente grabado y escrito tu cariño.
Si en mi espíritu hubiese otra cosa que tú,
la arrancaría y desgarraría con mis propias manos.
No quiero de ti otra cosa que amor;
fuera de él no te pido nada.
Si lo consigo, la Tierra entera y la Humanidad
serán para mí como motas de polvo, y los habitantes del país,
[insectos.

El lector irresponsable, que es el más sólito, patina con los ojos por estas líneas, y cree que se ha enterado, porque no contienen abstrusos signos matemáticos. Pero el buen lector es el que tiene casi constantemente la impresión de que no se ha enterado bien. En efecto, no entendemos suficientemente esos versos porque no sabemos qué quiere decir el autor con la palabra «amor».

No creo que la filología arábiga haya llegado a las pulcritudes y filiales de hacer el estudio semántico de los vocablos; en este caso, de precisar lo que en el siglo X la sociedad andaluza entendía cuando escuchaba o leía la palabra que traducimos por «amor». Porque, repito, significaba cosa bastante distinta de lo que nosotros entendemos con la nuestra. Baste hacer constar que esos versos van dirigidos a un hombre. Bien sé que también entre nosotros se da con alguna frecuencia el amor homosexual de varón a varón. Pero es incuestionable que en Europa «amor» significa, primaria y sustantivamente, algo que del hombre va consignado a la mujer y de la mujer es emitido hacia el hombre. Lo que sea un amor de hombre a hombre o de mujer a mujer no lo entendemos sin más; antes bien, tenemos que practicar una difícil operación de desarticular aquel sentido primario de la palabra e intentar, un poco a ciegas, una rearticulación diferente para figurarnos el erotismo homosexual. Ahora bien, como García Gómez hace constar, en este libro el amor es indiferente a las diferencias sexuales, y esto basta para que debamos representarnos el amor árabe como una realidad de sobra dispar a la que venimos ejerciendo los occidentales. Y tampoco puede decirse que sea similar a la que Platón describe, porque en Platón el amor no es indiferente a los sexos, sino que tiene su sentido primario en el amor de varón a varón. Platón, inversamente a nosotros, no entendía bien lo que pudiera ser un amor de hombre a mujer.

Con todo esto no pretendo sino avivar, del modo más breve posible, la conciencia de que este asunto del amor es sobremanera climatérico, y que no hay un amor natural frente al cual aparecen, por contraste, los amores antinaturales. Bien podían los que perpetúan la opinión contraria a esta sentencia sentir más noble orgullo por sus creencias, y en vez de escudarse en una supuesta naturaleza que recomienda un amor como natural y rechaza otros como antinaturales, hablar enérgicamente de amores como es debido y amores como no es debido, de lo que es moral y de lo que es inmoral. El amor es, como antes insinué, una *institución,* invento y disciplina humanos, no un primo de la digestión o de la hiperclorhidria.

Este libro de tan bello título[1] comienza con un surtido de nociones «filosóficas» sobre el amor que son puro escolasticismo y podían haber sido enunciadas, siglo y medio más tarde, en un enteco latín por cualquier fraile de Occidente. En las páginas 71 y 72 se tiene ya el que va a ser consuetudinario recuelo de Aristóteles. En la 74 se tropezará con una típica pedantería escolástica. En las 75 y 76 se define la causa del amor recurriendo al otro escolasticismo que es el platónico. Por cierto que en este punto corrige Ibn Hazm a Ibn Dawud, su predecesor en teorizar el erotismo, y la corrección nos permite comprobar el progreso en el conocimiento de Platón que los medios árabes habían hecho durante siglo y medio. Ibn Dawud, en efecto, que pretende ser un platónico, toma grotescamente en serio la explicación humorística del amor que Platón pone en boca del archihumorista Aristófanes, según el cual son las almas en su vida cismundana esferas partidas que, un tiempo y en región transmundana, estaban enterizas.

Pero este trivial escolasticismo sirve sólo de marco donde el andaluz cobija su verdadero tratamiento del tema erótico. Este es nada escolástico. Ibn Hazm espuma recuerdos propios y experiencias ajenas, contados con precisión y energía, directamente. En otros lugares formula, con sorprendente y perspicaz nitidez, análisis de diversas situaciones que el amor trae consigo. Como no es cosa de reproducir aquí trozos del texto que el lector va a recorrer, me limito a hacer una lista de pasajes que me parecen especialmente recomendables: página 86, fina selección de los actos que son señal de que

---

[1] Según me dice García Gómez, la palabra árabe *tawq* significa «collar». Pero ¿no se trata más bien de lo que en Occidente se ha llamado, ya desde Grecia, el «cuello de la paloma» símbolo de la riqueza inagotable en matices? En la página 186 encuentro esto: «Pero, de una parte, nos hemos propuesto hablar tan sólo del amor, conforme a tus deseos, y, por otro lado, la cosa se dilataría mucho, porque el asunto tiene *incontables cambiantes*.»

dos están enamorados; p. 143, exclusivismo erótico de la mujer frente a la dispersión en que el varón suele vivir y le impide una última concentración en su fervor; p. 107, precisión sobre un problema que hoy preocupa tanto —y con razón— a los médicos: la diferente velocidad en el placer, casi normal, en los dos sexos; p. 109, influjo de la primera preferencia sobre los amores subsecuentes, que recuerda lo que Descartes nos refiere de sí mismo: cómo amó por vez primera a una bizca y siempre sintió una tendencia a interesarse en mujeres bisojas; p. 165, conciencia clara que tiene de ser el amor una de las cosas más penetrantes en el ser humano; página 167, la furtividad, cima del amor: ¡gran verdad!; pp. 174-175, espléndida descripción de la reconciliación entre amantes; p. 229, sobre el olvido; p. 266, historia del marinero, su miembro y la navaja.

No es posible requerir de Ibn Hazm que nos declare cuáles eran las características del amor andaluz en su tiempo. Ni podía tener sentido histórico, ni pudo compararlo con el amor en otros pueblos. Somos nosotros quienes hemos de perescrutar, en lo que nos cuenta y en lo que nos define, los rasgos diferenciales en aquella manera de amar. Al pronto nos parece que no hay tal diferencia. Pero lo mismo nos acontece cuando leemos el único libro minucioso y fehaciente que sobre el amor en un pueblo primitivo existe: *La vida sexual de los salvajes,* de Malinowski. Según éste resultaría que entre los Trobriand, pueblo sumamente primario que vive en una isla próxima a Nueva Guinea, y nosotros apenas habría en el quehacer amoroso más diferencia que ignorar ellos, como todo el Asia, la dulce faena del beso y, en cambio, complacerse en una ocupación para nosotros inusitada, que es morderse las pestañas. Esta aparente, somera identidad es tan excesiva, que nos pone alerta y nos trae a las mentes la advertencia fundamental de que la intimidad humana es fabulosamente rica en su flora y en su fauna, pero, a fuer de intimidad, no puede de suyo manifestarse, sino que está para ello atenida a los gestos y actos corporales. Ahora bien, el teclado de gestos corporales que nuestra intimidad encuentra a su disposición para expresarse es sobremanera limitado, si se compara con la exuberante variedad de las formas vividas por nuestro sentimiento. De aquí que con un mismo gesto tengan que exteriorizarse realidades íntimas sumamente dispares y que todos los amores, contemplados desde lejos, parezcan idénticos.

Pocas faenas me ocasionarían mayor fruición que entrar con la lupa en este libro para intentar, partiendo de lo que nos cuenta y nos comenta, obtener una fórmula diferencial de lo que era el amor para estos árabes refinados del siglo X y lo que es hoy para nosotros. Pero es asunto que reclama demasiado tiempo y demasiado espacio, porque involucra temas —pertenecientes a la relación hombre-mujer— sobre los cuales, aunque parezca mentira, está casi todo por decir.

Si se quiere un ejemplo superlativo de la inatención que sufren estos modos humanos del querer, basta con detenerse un momento en las últimas palabras del período anterior: «lo que es hoy para nosotros el amor». ¿De qué «hoy» se habla ahí? Porque no podemos identificar los enamorados europeos de hace cincuenta años y hoy. El lugar es el mismo, la distancia temporal es bien escasa, y, sin embargo, la diferencia entre el amor de entonces y el de las nuevas generaciones es superlativa. Obsesionadas las gentes por guerras y revoluciones, no han prestado atención al hecho palmario de que en ese breve trecho de tiempo se ha producido el cambio más profundo desde el siglo XII en la figura occidental del amor. En muchas cosas, durante esa breve etapa, se ha roto con la tradición multisecular; pero tal vez en ninguna, y a la chita callando, ha habido corte tan radical como en el estilo de amar. Desde aquel siglo el modo de quererse evoluciona con perfecta continuidad, como un género literario (en cierto modo, lo es), hasta comienzos de siglo. Por ello la relación hombre-mujer atraviesa una época de grave desajuste. Pero no es tema para que entremos ahora en él.

Para enterarse bien de lo que son las cosas hay que andar a porradas con ellas, contrastar unas con otras y, al choqueteo de las comparaciones, vislumbrar lo peculiar de cada una. Así, ahora, nos conviene confrontar las maneras del amor que Ibn Hazm nos descubre —lo que llamaremos el amor andaluz— con las del amor beduino en las tribus que hoy conservan más puro su esencial arabismo y viven en los desiertos sitibundos de la Arabia Oriental, en las cercanías del golfo Pérsico. H. R. P. Dickson publicó en 1949 el libro más detallado que existe sobre la vida de estas tribus. Nacido en Siria y amamantado por una beduina que pertenece a éstas, es, por tal razón, considerado como un miembro de la tribu más autorizada. Pues bien, Dickson nos hace ver cómo en esa región de Arabia —y, en cierta manera, en toda Arabia— el adulterio es desconocido. Verdad es que la facilidad para el divorcio no deja espacio donde aquél se aloje. Por otra parte, la mujer lleva completamente oculta la cabeza toda, y el que pudiera calificarse de su enamorado, más que verla, queda obligado a sospecharla. La mujer entra, pues, en el amor como un ser desconocido, y no es por ello sorprendente que la noche de bodas consista en una lucha feroz entre esposo y esposa, tan feroz que la novia sufre a menudo la fractura de una o más costillas. ¿Cómo puede ser un amor que habrá de moverse entre tales usos? El actual monarca de la mayor porción de Arabia, el gran Ibn Sa'ud, contaba a Dickson que él —puritano, jefe de los puritanos wahhabíes— había tenido hasta la fecha más de cuatrocientas mujeres, pero no había visto jamás la cara de ninguna. No nos es nada fácil un amor sin cara, porque precisamente la cara es el hontanar donde brota el amor como tal. Pues debía haberse atendido con mayor extrañeza al hecho de que la cara femenina no despierta en el hombre sensualidad, cuando todo el resto del cuerpo femenino, incluso las manos, está siempre en riesgo propincuo de suscitarla. Tal vez los labios dan algún quehacer más allá de la ternura, pero casi siempre secundariamente, cuando ya la sensualidad ha sido disparada por otros territorios erógenos.

Pero la gran cuestión histórica que partiendo de este libro habría menester de atacar es la tan propalada y discutida influencia de los árabes sobre el amor de «cortezia» y, en general, sobre la poesía y la doctrina de los trovadores. Esta cuestión es un avispero sobre el cual nadie ha puesto aún orden.

A fines del siglo XI y comienzos del XII, se inicia en Francia una manera de sentir el hombre a la mujer que no tiene estrictos precedentes ni en la cultura antigua ni en los siglos de la Edad Media anteriores. El hombre se complace en considerar a la mujer como algo superior a él. Se le rinde culto. Se proyecta sobre la relación sentimental entre ambos sexos la idea de «señorío», que en ese mismo tiempo comienza a informar la sociedad. La mujer es «señora» y el hombre su vasallo. La sensualidad, aunque aparece aquí y allá en las trovas, tiene en el conjunto del estilo trovadoresco sólo un carácter errático, como hay que afirmar frente a la insistencia de Briffault en recoger textos arriscados[1]. El sentimiento hacia la mujer que enuncian los trovadores implica distancia. La amada aparece esencialmente situada en la lejanía, y, con frecuencia, en remoto peralte, como la estrella. No está al alcance de la mano y, por tanto, de la caricia. No es algo que se acaricia y de que se goza, sino algo de que se está dolorosamente separado y que se echa de menos. De aquí que la poesía trovadoresca cultive la quejumbre. El amor se presenta como delicioso dolor, como venturosa herida. Con ejemplar sencillez dirá el trovador Geoffroi Rudal que su amor es «amor de terra de lonh».

---

[1] Robert Briffault, *Les Troubadours et le sentiment romanesque*, 1945, págs. 92, 93, 94.

Estos caracteres del amor trovadoresco —tiene otros muchos que no puedo aducir aquí— han sido causa de que se quiera ver su origen en una forma de amor cultivada entre los árabes un siglo antes de Ibn Hazm y que suele llamarse el «amor bagdadí». Pero este amor de Bagdad no parece ser más que uno de los efectos producidos en ciertos grupos hipercultivados por la ingestión de platonismo acontecida en aquel siglo. En esos grupos se dio forma a una vieja leyenda que hablaba de una tribu —los 'Udríes— en la cual los hombres morían de amor por renunciar al goce de la amada. ¿Es acertada esta interpretación del amor trovadoresco por semejantes formas de extremo ascetismo en el sentido erótico?

Aquí es donde necesitaría quejarme de la manera como han sido tratadas todas las cuestiones referentes a la poesía de los siglos XI, XII y XIII. Es evidente que, antes de emparejar el amor «cortez» con otros estilos de amor entre los poetas árabes, convenía precisar bien las facciones de aquél. Si se hubiera practicado esto, habríase visto que el amor «cortez», aun siendo un sentimiento distante, de *saudade* y «echar de menos», *no es por ello un sentimiento que implica renuncia,* antes bien, lo desea todo, pero desde lejos. Esto explica los textos sensuales que Briffault recoge. ¡Quién sabe si la auténtica sensualidad humana no es hija de la distancia, no se forja y fomenta en la lejanía del objeto!

Mas con todo esto no pretendo resolver ningún problema, sino, por el contrario, sugerir hasta qué endiablado punto todo esto lo es.